D1594664

L'ENTREPRISE
FAMILIALE
La relève : ça se prépare !

Les éditions
TRANSCONTINENTALES inc.
1100, boul. René-Lévesque Ouest
24e étage
Montréal (Québec)
H3B 4X9
(514) 392-9000
1-800-361-5479

Fondation de l'Entrepreneurship
160, 76e Rue Est
Bureau 250
Charlesbourg (Québec)
G1H 7H6
Tél. : (418) 646-1994

La **Collection Entreprendre** est une initiative conjointe de la Fondation de l'Entrepreneurship et des éditions TRANSCONTINENTALES inc. pour répondre aux besoins des futurs et nouveaux entrepreneurs.

Photocomposition et mise en pages :
    Ateliers de typographie Collette inc.

Dépôt légal - 2e trimestre 1993 (2e impression)
Bibliothèque nationale du Québec
Bibliothèque nationale du Canada

ISBN 2-921030-51-9

L'ENTREPRISE
FAMILIALE

La relève :
ça se prépare !

Les éditions
TRANSCONTINENTALES

Fondation de
l'Entrepreneurship

à Isabelle
à Nadia
à Virginie

REMERCIEMENTS

Nous tenons, dans un premier temps, à remercier monsieur Jean Coutu, président du conseil et chef de la direction du Groupe Jean Coutu, qui, tout comme pour notre premier ouvrage, a signé la préface de cette deuxième édition, ainsi que monsieur Luc Provencher, vice-président, Prêts, Exploitation de la Banque fédérale de développement, qui en a signé l'avant-propos. Nous remercions aussi monsieur Guy Savard, président et chef de l'exploitation, Caisse de dépôt et placement du Québec pour sa collaboration.

Nous remercions aussi nos collègues, Benoît Bazoge, Pierre Filiatrault, Carole Lamoureux, Albert Lejeune, Cataldo Zuccaro et Marie-Claude Reney, pour leurs commentaires qui ont enrichi notre ouvrage. Nous voulons également souligner la contribution amicale de nombreux experts-fiscalistes, experts-comptables, conseillers en gestion, conseillers juridiques, assureurs – qui ont revu certains de nos textes : Jacques Authier, de Caron Bélanger Ernst & Young, Richard Dalcourt, Gilles Gariépy et Guy Tourillon, du Groupe Mallette Maheu, Jacques D'Amours et Robert Plouffe, de la Banque fédérale de développement, Lise Gendreault, de Gendreault Lefebvre, Suzanne Hotte, du Centre Jurinotec Anjou, Michel Ménard, de Desjardins Ménard & Associés, Lucien Perron, de Grandpré Godin, et Brigitte Van Coillie-Tremblay, du ministère de l'Industrie, du Commerce et de la Technologie.

Nous remercions également monsieur Sylvain Bédard des Éditions TRANSCONTINENTALES et l'équipe de la Fondation de l'Entrepreneurship pour leur soutien assidu et leur grande disponibilité. Nous avons, encore cette fois, apprécié la qualité du travail de Diane Lemay qui a su, avec patience, décoder notre écriture.

Cette deuxième édition ajoute de nombreux aspects d'importance à notre premier ouvrage, et contribuera, nous l'espérons, à faire avancer les connaissances de ce nouveau domaine qu'est la gestion des entreprises familiales ; il importe de s'y intéresser, car plus de 90 % de toutes les entreprises en Amérique du Nord sont des entreprises familiales. Nous y avons inclus un nouveau chapitre traitant de la planification stratégique, un outil de gestion essentiel à toute entreprise qui veut croître, et qui requiert une approche particulière au sein de l'entreprise familiale.

Nous voulons, par notre ouvrage, rendre hommage aux entrepreneurs-propriétaires d'entreprises familiales – qui bataillent dans une économie en constante ébullition –, et les aider à garder leur entreprise dans leur famille. Nous offrons nos vœux de succès à la relève qui saura, à son tour, laisser une entreprise à succès à ses descendants.

Bonne lecture !

Yvon G. Perreault

PRÉFACE

Par mon cheminement de carrière, je me situe presque déjà à la conclusion de l'ouvrage *L'entreprise familiale* de Yvon G. Perreault. Je peux vous assurer que vous avez maintenant entre les mains l'outil nécessaire pour planifier, mais surtout vivre une transition de leadership sans heurt dans à peu près tout genre d'entreprise, depuis celle où l'héritier est unique, jusqu'à cette réalité plus fréquente où plusieurs héritiers sont dans l'attente d'une passation des pouvoirs.

L'auteur a su, certainement à cause de ses nombreuses années de pratique et de recherche, éviter la facilité des solutions toutes faites, pour bien pénétrer dans l'intimité de toutes les susceptibilités économiques, inhérentes à quelque changement d'autorité que ce soit.

Ayant vécu déjà la plupart des étapes, qui sont bien schématisées dans les nombreux tableaux de ce volume, je n'ai qu'à vous souhaiter de savoir bien choisir et de vivre celles qui sont les mieux adaptées à votre genre d'entreprise, à la taille de celle-ci, et certainement, à la spécificité de chacune de vos familles.

Je crois que vous avez entre les mains une œuvre qui, sans vous dicter quelque avenue que ce soit, vous offre la possibilité d'ajuster la théorie à votre réalité personnelle.

Je ne peux que vous souhaiter bonne lecture et féliciter l'auteur.

Jean Coutu
Président du conseil et chef de la direction
Groupe Jean Coutu

Fondation de l'Entrepreneurship

La Fondation de l'Entrepreneurship oeuvre au développement économique et social en préconisant la multiplication d'entreprises capables de créer l'emploi et favoriser la richesse collective.

Elle cherche à dépister les personnes douées pour entreprendre et encourage les entrepreneurs à progresser en facilitant leur formation par la production d'ouvrages, la tenue de colloques ou de concours.

Son action s'étend à toutes les sphères de la société de façon à promouvoir un environnement favorable à la création et à l'expansion des entreprises.

La Fondation peut s'acquitter de sa mission grâce à l'expertise et au soutien financier de quelques organimes. Elle rend un hommage particulier à ses quatre partenaires :

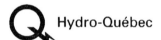 

et remercie ses six premiers gouverneurs :

OFFICE MUNICIPAL
DE DÉVELOPPEMENT ÉCONOMIQUE
DE QUÉBEC · O/M/D/E/Q

Bell

noranda

TABLE DES MATIÈRES

CHAPITRE 4

GÉRER L'ENTREPRISE FAMILIALE :
PRÉPARER SA RELÈVE ET
PLANIFIER SA SUCCESSION

LISTE DES TABLEAUX

LISTE DES GRAPHIQUES

AVANT-PROPOS

Comment assurer la survie et la continuité de son entreprise familiale tout en préservant l'harmonie au sein de sa famille? La quasi-totalité des chefs d'entreprises risquent d'être, à un moment ou l'autre de leur vie, confrontés à cette question. En effet, plus de 90 % des entreprises au pays sont familiales. Or, s'il existe une décision de gestion cruciale pour ces entreprises, c'est bien le choix de la relève. Cette décision ne doit pas se prendre à la légère, car elle peut être lourde de conséquences financières et émotives.

Le présent ouvrage fournit un appui important aux entrepreneurs en cernant les facteurs à considérer, les distinctions à faire et les obstacles à surmonter au moment de la préparation de la relève et de la planification successorale dans une entreprise familiale. De plus, il contient de nombreux témoignages qui viennent jeter un éclairage concret sur la question.

L'entreprise familiale va de pair avec les services de formation et de consultation que la Banque fédérale de développement offre à des milliers d'entrepreneurs. Son auteur, Yvon G. Perreault, collabore avec la Banque fédérale de développement depuis plusieurs années déjà, et il a contribué à la réalisation de notre plus récent programme de formation et de consultation à l'intention des entreprises familiales. Notre organisme, dont la raison d'être est la promotion de l'entrepreneurship, s'emploie à faire connaître l'apport des entreprises à l'économie et à aider leurs chefs à parfaire leurs connaissances. Nous avons trouvé, en monsieur Perreault, un collaborateur d'une grande compétence, et nous sommes très heureux qu'il nous ait apporté sa contribution.

Laisser les rênes d'une entreprise que l'on a mis des années, voire toute une vie, à bâtir ne se fait pas sans un pincement au cœur. Cet ouvrage contribue à faire en sorte que la transition se fasse sans heurt. Le chef d'entreprise pourra ainsi prendre un repos bien mérité, l'esprit en paix, tout en ayant le sentiment du devoir accompli.

Luc Provencher
Vice-président, Prêts, Exploitation
Banque fédérale de développement

AVIS AU LECTEUR

Nous ne voulons pas, d'aucune façon, rendre des services juridiques, comptables, fiscaux ou de toute nature professionnelle par la publication de notre ouvrage. Chaque situation étant particulière, il importe de consulter des experts du domaine au moment de la prise de décision. Nous rejetons toute responsabilité quant aux résultats de gestes que pourraient poser des individus, guidés par l'information présentée dans cet ouvrage.

Nous tenons à nous excuser d'avoir choisi la voie facile en n'utilisant que le masculin bien que nous présentions un chapitre sur le rôle de la femme dans l'entreprise familiale. Il ne faut aucunement en croire que nous pensons que l'entrepreneurship est une affaire d'hommes. Nous savons que des femmes propriétaires dirigent de 20 à 25 % des entreprises québécoises, et que dans le cas des entreprises nouvellement créées par les moins de 30 ans, cette proportion atteint de 30 à 40 %.

Nous nous sommes permis de traduire librement certains passages ou citations de langue anglaise. Nous avons toutefois cherché à respecter le message des auteurs. Les sources étant indiquées, le lecteur pourra, s'il le désire, se référer aux textes originaux.

Nous présentons des exemples et des anecdotes afin d'illustrer nos propos. Bien qu'ils s'inspirent de situations vécues, nous avons pris soin, lorsque demandé, de masquer la réalité afin de préserver l'anonymat des personnes et des entreprises concernées.

Bonne lecture!

INTRODUCTION

Chaque entrepreneur travaille fort à construire une entreprise qui est à la fois son gagne-pain, sa fierté, sa richesse, son fonds de retraite et l'héritage qu'il laissera à sa famille. Comment concilier tous ces intérêts ? Quand, comment et à qui passer le flambeau sans craindre de tout perdre ? À écouter des entrepreneurs parler de leur fin de carrière, nous avons souvent l'impression que posséder une entreprise familiale, c'est comme faire une descente libre en ski : c'est excitant mais il faut savoir s'arrêter.

Philippe de Gaspé Beaubien, président de Télémédia inc., disait lors d'une entrevue : « **Gérer une entreprise, c'est difficile ; gérer une entreprise familiale, c'est très difficile.** » Mais qu'en est-il au juste ? Qu'y a-t-il de particulier lorsqu'un entrepreneur gère une entreprise qu'il veut laisser à sa famille ? En fait, posséder une entreprise et vouloir qu'elle demeure dans sa famille, c'est poursuivre à la fois deux objectifs tout aussi exigeants l'un que l'autre.

Premièrement, l'entrepreneur doit rentabiliser et faire croître son entreprise malgré les statistiques qui montrent que 57 % des entreprises qui existaient en 1979 n'étaient plus en activité en 1989 (*La petite entreprise au Canada, 1991, l'excellence gage de prospérité*, Industrie, Sciences et Technologie Canada). Il y a une dizaine d'années par contre, d'autres statistiques indiquaient que, approximativement, 19 entreprises sur 20 ferment leur porte avant d'avoir atteint l'âge de 10 ans et que plus de 90 % de ces échecs en affaires sont dus à des carences de gestion. Réussir en affaires est l'objectif de toute entreprise, soit-elle familiale ou non. C'est déjà « **difficile** ».

Deuxièmement, l'entrepreneur doit – et c'est le vrai défi du propriétaire d'une entreprise familiale –

préparer sa relève et planifier sa succession. Le leadership doit passer d'un entrepreneur, seul maître de son entreprise, à un clan familial qui fait des affaires. Un entrepreneur, qui progressivement cède sa place à ses héritiers, c'est autre chose qu'un patron pour qui travaillent ses enfants. C'est la dimension « **très difficile** » de la gestion de l'entreprise familiale.

Certains entrepreneurs – propriétaires d'entreprises familiales – semblent croire que les décisions d'affaires peuvent et doivent être prises hors de toute considération familiale. S'il peut en être ainsi lorsque les enfants sont jeunes, il ne peut en être ainsi lorsque l'entrepreneur est plus âgé. Une étude effectuée en 1982 par J. L. Ward auprès de propriétaires-dirigeants d'entreprises familiales américaines a démontré que, malgré la croyance et le désir des entrepreneurs de dissocier entreprise et famille, la majorité des entreprises étudiées avaient une performance inférieure à leur potentiel. Comme l'écrivait ce chercheur, les entrepreneurs eux-mêmes avaient alors ainsi expliqué ce résultat :

Premièrement, ils (les entrepreneurs) étaient incertains de l'influence des membres de leur famille sur l'entreprise. Par exemple, ils ne savaient pas si tous les héritiers voudraient travailler ensemble sous un même toit, ou s'ils voudraient travailler séparément dans des secteurs distincts de l'entreprise. Ils ne savaient pas si les héritiers à l'emploi de l'entreprise auraient à subvenir financièrement aux autres héritiers. Ils ne savaient pas si eux, en tant que parents, devaient accumuler des fonds pour aider certains enfants à se lancer en affaires.

Deuxièmement, les propriétaires étaient incertains de leur propre rôle dans le futur de l'entreprise. Ils en étaient incertains parce qu'ils n'avaient pas évalué certains facteurs majeurs, depuis les fonds disponibles pour de nouveaux projets jusqu'à la capacité managériale des successeurs éventuels.

Ces incertitudes – toutes reliées à la famille – les avaient amenés à choisir des stratégies d'affaires prudentes, conservatrices. Ils avaient choisi cette route malgré leur confiance en leur entreprise respective. L'influence de la famille avait surpassé presque toutes les exigences d'affaires.

On le voit, le dicton « **Les affaires sont les affaires** » ne semble pas toujours s'appliquer dans les entreprises familiales. Ce choix de stratégies d'affaires plus prudentes et plus conservatrices, c'est la route vers l'**effet plateau** dans l'entreprise familiale; nous parlerons plus loin de l'**effet plateau**.

Nous connaissons tous des entreprises familiales où la famille connaît le bien-être, et l'entreprise, la croissance. Par ailleurs, nous savons aussi que trop d'entreprises familiales ont connu l'éclatement de la famille et l'échec de l'entreprise.

La revue française *L'Entreprise* publiait en mars 1990 un article dont le titre démontre bien les problèmes des entreprises familiales : « L'entreprise familiale en crise. Les tribunaux croulent sous les dossiers. Comment réconcilier la famille et l'entreprise. »

L'article raconte les nombreuses batailles juridiques que se livrent certaines entreprises familiales européennes et conclut :

La morale de ces histoires, c'est qu'aucune famille n'est à l'abri du virus. La seule voie raisonnable consiste donc à transformer les entreprises familiales... en entreprises tout court. Avec des actionnaires motivés et rémunérés. Des présidents qui président, des conseils d'administration qui administrent et des directeurs qui dirigent. Des managers jugés sur leurs compétences et révocables en

*raison de leur incompétence. Mais surtout une
fluidité du capital qui n'est pas encore entrée dans
les mœurs. Pour que les actionnaires familiaux
soient enfin des actionnaires comme les autres.*

Ce que dit l'auteur de l'article résume ce que,
selon nous, toute entreprise familiale doit absolument
inclure dans sa gestion : le respect des missions distinctes de la famille et de l'entreprise.

Peut-il en être autrement ? L'entreprise familiale
ne bénéficie, ni ne bénéficiera, d'aucune faveur parce
qu'elle est « familiale ». Nous sommes bien placés pour le
savoir ; **on ne lui fait aucun cadeau** : les conditions
économiques sont aussi exigeantes ; les concurrents
sont aussi audacieux ; les prêteurs demandent qu'on
respecte les mêmes critères ; les fournisseurs veulent
s'assurer d'être payés ; les clients recherchent la satisfaction ; etc. Il est clair que l'entreprise familiale, comme
toute entreprise, doit être gérée « *avec des actionnaires
motivés et rémunérés. Des présidents qui président, des
conseils d'administration qui administrent et des directeurs qui dirigent* ». Les membres de la famille qui travaillent aujourd'hui dans l'entreprise et qui en seront
demain les dirigeants doivent être « **des managers jugés
sur leurs compétences** ».

Les préoccupations récentes au sujet de l'entreprise familiale ne sont pas uniquement des préoccupations québécoises ; elles sont internationales. Nous
avons rencontré des chercheurs et des spécialistes
américains, espagnols, suisses, hollandais, allemands,
chiliens, mexicains et français. Nous avons aussi eu
l'occasion de consulter leurs textes et d'écouter leurs
réflexions.

Dans les pages qui suivent, nous définirons ce
que nous entendons par **entreprise familiale, préparation de la relève, planification successorale** et nous
présenterons quelques **statistiques** sur le sujet.

Nous parlerons de ce qui caractérise la **famille** et l'**entreprise**, de la confusion qui sournoisement entremêle les **missions** de ces entités pourtant distinctes. Nous discuterons des **obstacles** à la préparation de la relève et à la planification de la succession, du **cycle de vie de l'entreprise** et de l'**effet plateau** dans l'entreprise familiale.

Nous parlerons aussi de la **gestion de l'entreprise familiale**, du choix d'un **conseiller en gestion** et des **experts externes**, des **conditions préalables** et des **étapes à suivre** par tout jeune entrepreneur, ou par le successeur, pour préparer sa relève et planifier sa succession. Nous proposerons aussi des **étapes** à suivre pour l'entrepreneur en fin de carrière. Nous discuterons également des rôles du **conseil de famille** et du **conseil d'administration** ou du **comité de gestion**, selon la taille de l'entreprise, de la **relève idéale**, des **décisions préliminaires majeures** et, enfin, des **erreurs à éviter**.

Nous traiterons ensuite des considérations financières, fiscales et légales : le **prix et les modalités de transition**, la **structure et les conventions légales**. Nous discuterons aussi du rôle de la **femme** dans l'entreprise familiale.

Cet ouvrage s'adresse à l'**étudiant**, à l'**expert externe** – conseiller juridique, expert-comptable, fiscaliste, assureur, prêteur, psychologue, conseiller – au **jeune entrepreneur**, à l'**entrepreneur en fin de carrière** et à ses **héritiers**, au **couple** en affaires et aux **copropriétaires** d'une entreprise. Chacun y trouvera des réponses aux problèmes de la gestion de l'entreprise familiale.

QU'EN EST-IL AU JUSTE ?

Tout d'abord, définissons certains termes : **entre-prise familiale, préparation de la relève, plani-fication successorale**, et considérons quelques **statis-tiques** sur le sujet.

L'ENTREPRISE FAMILIALE, C'EST...

Une entreprise est dite familiale lorsqu'une famille exerce une influence prédominante sur sa gestion présente et sa gestion future.

De cette définition, on retient les aspects sui-vants : l'influence prédominante de la famille, la gestion présente et future.

Premièrement, **une famille qui exerce une influence prédominante** implique que les membres d'une même famille prennent les décisions majeures dans l'entreprise. Dans ce contexte, **famille** signifie un entrepreneur et ses héritiers, des frères et sœurs copropriétaires d'une entreprise et leurs héritiers res-pectifs, un couple en affaires ou toute autre forme de liens familiaux, cousins, beaux-frères, etc. Des cher-cheurs et praticiens américains, anglais, allemands, espagnols, etc. disent que **l'influence est prédomi-nante** lorsque l'une des conditions suivantes est rem-plie :

- plus de 50 % des actions votantes sont détenues par les membres d'une même famille ;

- des membres d'une même famille contrôlent dans les faits l'entreprise sans détenir la majorité des actions votantes ;

- un nombre important des cadres supérieurs de l'entreprise proviennent d'une même famille.

Le Tableau 1 présente la définition de l'entreprise familiale.

Deuxièmement, le mot **gestion** a toujours voulu dire, et veut toujours dire, planifier, organiser, diriger et contrôler. Ainsi, l'entreprise familiale, comme toute autre entreprise, doit être gérée selon les techniques conventionnelles de gestion. Cependant, dans une entreprise familiale, le mot **gestion** signifie, en plus, la planification, l'organisation, la direction et le contrôle des forces familiales qui s'exercent sur l'entreprise. Ce double objectif de la gestion d'une entreprise familiale explique les nombreux échecs qu'on y retrouve.

Tableau 1

QU'ENTEND-ON PAR ENTREPRISE FAMILIALE ?

C'est une entreprise où une famille exerce une influence prédominante sur la gestion présente et la gestion future de l'entreprise, et où l'une des trois conditions suivantes est remplie :

- Plus de 50 % des actions votantes sont détenues par une famille ;

- Des membres d'une famille contrôlent dans les faits l'entreprise sans détenir la majorité des actions votantes ;

- Un nombre important des cadres supérieurs de l'entreprise proviennent d'une même famille.

Par ailleurs, la **gestion présente** signifie que l'influence de la famille s'exerce aujourd'hui. La **gestion future**, quant à elle, laisse entendre que l'on souhaite que l'influence de la famille se perpétue et que la famille agisse aujourd'hui de telle sorte qu'au moins un des trois critères énoncés plus haut demeure vrai pour les générations futures. C'est donc ici, et dans ce sens, qu'interviennent la **préparation de la relève** et la **planification successorale** dans la gestion de l'entreprise familiale. C'est le propos de ce livre.

Dans un article de *The Gazette* du 28 octobre 1991, le journaliste Jeff Heinrich résume une entrevue avec Philippe de Gaspé Beaubien, président de Télémédia inc. et son épouse Nan-b. ; on y lit :

Pour Philippe de Gaspé Beaubien, de la 12ᵉ génération d'une famille entrepreneuriale, multimillionnaire et président de Télémédia inc., le passé est le futur. Le patriarche âgé de 63 ans a inculqué à ses trois enfants la philosophie familiale quant au pouvoir et à la richesse durement gagnée, et ils sont disposés à utiliser leur apprentissage pour construire un avenir prometteur, tant pour eux que pour l'entreprise. S'ils y parviennent, ils seront les premiers d'une génération québécoise à continuer l'entreprise familiale dont l'histoire date de 336 ans. À travers les années, de Gaspé Beaubien s'est assuré qu'ils y parviendront.

Ainsi, **gestion présente** et **gestion future** se rejoignent. C'est probablement dans ce sens que Philippe de Gaspé Beaubien souligne que « le passé est le futur ». On voudra que la gestion future soit le reflet de la gestion passée. Ne dit-on pas : « Le futur est fait de 90 % du passé. » Les façons de faire de l'entrepreneur marqueront d'abord ses héritiers et aussi ses collaborateurs dans l'entreprise familiale. Ils auront appris et partagé ses valeurs, ses croyances et sa vision. Un philosophe a déjà écrit : « Nous sommes les enfants de ceux qui nous ont transmis des valeurs. »

LA PRÉPARATION DE LA RELÈVE ET LA PLANIFICATION SUCCESSORALE

Gérer une entreprise familiale, c'est non seulement la gérer mais c'est aussi préparer sa relève et planifier sa succession. Pour bien mettre en évidence le fait que certains gestes de la préparation de la relève et de la planification successorale sont posés aujourd'hui et doivent se vivre aujourd'hui, du vivant de l'entrepreneur, et que d'autres sont posés aujourd'hui mais ne se vivront qu'ultérieurement, nous préférons utiliser deux expressions différentes : préparer sa relève et planifier sa succession.

Préparer sa relève, c'est poser aujourd'hui des gestes et en vivre aujourd'hui les conséquences. Le Tableau 2 résume certains gestes à poser pour la préparation de la relève. Il est facile, par exemple, de comprendre que la création d'un conseil de famille, d'un conseil d'administration ou d'un comité de gestion impliquent non seulement qu'on les crée, mais aussi qu'on leur fasse jouer un rôle véritable, **maintenant**. Ou encore, que la transition du leadership, de la propriété et du contrôle, de l'entrepreneur aux héritiers, ne doit pas être seulement envisagée mais qu'elle doit s'effectuer du vivant de l'entrepreneur.

Préparer sa relève, c'est structurer la gestion de l'entreprise avec les membres de la famille qui y travaillent ou y travailleront. C'est aussi définir le rôle de chaque héritier à l'emploi de l'entreprise, voir à sa formation et s'assurer la collaboration des cadres supérieurs, non membres de la famille. Les pages qui suivent proposent des moyens d'y arriver.

Tableau 2

QU'ENTEND-ON PAR PRÉPARATION DE LA RELÈVE ?

La préparation de la relève comprend des gestes posés aujourd'hui, du vivant de l'entrepreneur, et dont les conséquences se vivent aujourd'hui. La préparation de la relève comprend les aspects suivants :

- Rôle et formation des héritiers ;

- Formation du clan familial ;

- Création d'un conseil de famille ;

- Création d'un conseil d'administration ou d'un comité de gestion ;

- Collaboration des cadres supérieurs de l'entreprise ;

- Établissement des modalités de partage entre les héritiers de la propriété de l'entreprise ;

- Choix de l'héritier qui sera le prochain directeur général ;

- Établissement des modalités de transition du leadership, de la propriété et du contrôle de l'entreprise ;

- Mise en place d'une structure et établissement de conventions juridiques correspondant aux souhaits de l'entrepreneur et des héritiers ;

- Préparation de sa retraite ;

- Transition du leadership ;

- Retrait de l'entrepreneur de l'entreprise.

Planifier sa succession fait référence à l'attention portée aux conséquences futures de gestes posés aujourd'hui. Le Tableau 3 résume certains de ces gestes. Par exemple, l'achat d'assurance-vie ou la signature de testaments sont des gestes posés aujourd'hui, mais

33

Tableau 3

QU'ENTEND-ON PAR PLANIFICATION SUCCESSORALE ?

La planification successorale comprend des gestes qui, bien que posés aujourd'hui, du vivant de l'entrepreneur, ont des conséquences qui se vivront ultérieurement. La planification successorale comprend les aspects suivants :

- Évaluation des conséquences de la préparation de la relève ;

- Achat d'assurance-vie ;

- Signature des testaments ;

- Signature des mandats d'inaptitude.

les conséquences concrètes ne se vivront que dans un autre lendemain.

Préparer sa relève, c'est **faire aujourd'hui et vivre aujourd'hui**. Planifier sa succession, c'est **faire aujourd'hui mais vivre plus tard**. Préparer sa relève et planifier sa succession ont tout de même un objectif commun : implanter un **processus de continuité** dans la gestion de l'entreprise familiale, qui assurera à la fois le bien-être de la famille et la croissance de l'entreprise.

QUELQUES STATISTIQUES

Ivan Lansberg, éditeur du *Family Business Review*, écrivait que plus de 90 % de toutes les entreprises des États-Unis sont des entreprises familiales. En fait, ajoutait-il, plus du tiers des 500 entreprises répertoriées par le magazine *Fortune* sont contrôlées par des familles. Dun & Bradstreet estime qu'environ 95 % de toutes les entreprises américaines sont des entreprises familiales. Bien sûr, il en est également ainsi au Canada et au Québec. Le directeur de la *Revue Commerce* écrivait en août 1992 :

> *En analysant la liste des 200 plus importantes entreprises québécoises, on constate que pas moins de 80 d'entre elles ont à leur tête un président qui est également actionnaire principal. Dans plusieurs cas, cet actionnaire majoritaire a des enfants maintenant assez vieux pour prendre la relève.*

Lors de la conférence annuelle du Family Firm Institute, en octobre 1991 au Colorado, Philippe de Gaspé Beaubien témoignait de l'importance des entreprises familiales : elles contribuent pour 55 % du produit national brut de l'Amérique du Nord – trois « trillions » de dollars de ventes annuellement –, pour 50 % de tous les salaires payés et pour 66 % des nouveaux emplois créés.

Malheureusement, environ 70 % des entreprises familiales ne survivent pas jusqu'à la deuxième génération, et 90 % jusqu'à la troisième. Ces tristes statistiques ont été soulignées par de nombreux chercheurs, auteurs et praticiens (Poe, 1980 ; Davis et Tagiuri, 1982 ; Beckhard et Dyer, 1983a, 1983b ; Lane 1983 ; Gilman, 1985 ; Birley, 1986 ; Handler et Kram, 1988 ; Lansberg, 1988 ; Cohn, 1989 ; Benson, Crego et Drucker, 1990 ; de Gaspé Beaubien, 1991). Ceux qui doutent de ces statistiques n'ont qu'à dresser la **trop courte** liste de nos entreprises familiales qui sont la propriété de la troisième ou quatrième génération. Nous ne voulons pas alourdir ces analyses ; nous préférons consacrer nos efforts à identifier et à proposer des moyens d'éviter les conséquences néfastes d'un tel désastre.

Une étude effectuée en 1987 par Laventhol & Horwarth et l'American Management Association a fait ressortir que plus des deux tiers des entrepreneurs souhaitent que leur entreprise demeure dans la famille. En outre, selon un article, «The Loneliness of the Small Business Owner», publié dans le *Harvard Business Review*, la majorité des entrepreneurs disent ressentir fréquemment un **sentiment d'isolement**. Notre expérience nous amène à constater que ce sentiment d'isolement est particulièrement présent chez l'entrepreneur lorsqu'il a à préparer sa relève ou à planifier sa succession.

Il y a aussi cette enquête faite aux États-Unis dont les résultats ont été publiés dans le journal *Les Affaires* du 5 mai 1982, et qui souligne que l'entrepreneur met jusqu'à 80 000 heures pour bâtir son entreprise... et environ 6 à 10 heures pour planifier sa succession. Et ce n'est pas par mauvaise volonté ; c'est parce qu'il ne sait pas comment le faire. Nous croyons que ces résultats sont encore d'actualité.

Notre expérience à titre de conseiller auprès d'entreprises familiales nous permet de croire que moins de 5 % des entrepreneurs adoptent une approche rationnelle globale pour préparer leur relève et planifier leur succession. Trop souvent, ils se limitent aux aspects financiers, fiscaux et légaux, à un **testament d'amour : au dernier vivant les biens...** les problèmes de famille qui en suivront y compris. Comme le disait un philosophe : «Il y a toujours une solution facile à tout problème humain – claire, réaliste et... erronée.» Si l'entrepreneur fondateur de sa PME, celui qui a façonné l'âme et la culture de l'entreprise, ne peut organiser sa prise en charge au moment de sa retraite, qui saura le faire ?

Ne pas préparer sa relève et ne pas planifier sa succession, c'est souvent amorcer la fin de l'entreprise ; les statistiques le prouvent. C'est peut-être aussi l'éclatement du noyau familial ; en effet, l'expérience a démontré que lorsque des individus décèdent sans planification successorale, bon nombre de familles se retrouvent en conflit. Ce résultat tragique confirme bien le proverbe-dicton : « On ne connaît vraiment quelqu'un qu'après avoir partagé un héritage avec lui. » De nombreux conseillers juridiques avec qui nous travaillons nous ont confirmé cette réalité.

Le Tableau 4 (page 38) résume ces statistiques. Ces chiffres parlent d'eux-mêmes. Ils expliquent bien l'importance économique et sociale des entreprises familiales. Ils montrent aussi les problèmes que vit l'entreprise familiale, et font ressortir que les façons actuelles de la gérer ne sont pas adéquates, tout comme d'ailleurs les façons de préparer la relève et de planifier la succession.

Tableau 4

QUELQUES STATISTIQUES

- Plus de 90 % de toutes les entreprises québécoises, canadiennes ou américaines sont des entreprises familiales ; le tiers des 500 grandes entreprises répertoriées par le magazine *Fortune* sont des entreprises familiales ; au Québec, 80 des 200 plus grandes entreprises sont des entreprises familiales ;

- Les entreprises familiales contribuent à constituer 55 % du produit national brut de l'Amérique de Nord – trois « trillons » de dollars de ventes annuellement ; les entreprises familiales sont à l'origine de 50 % de tous les salaires payés et de 66 % de tous les nouveaux emplois créés ;

- Plus de 66 % des entrepreneurs souhaitent que leur entreprise demeure dans la famille, mais presque tous disent se sentir seuls et isolés dans leur démarche ;

- Il y a 70 % des entreprises familiales qui ne survivent pas jusqu'à la deuxième génération, 90 % jusqu'à la troisième et, de celles-ci, seulement 1 % comptent encore un membre de la famille ;

- Moins de 5 % des entrepreneurs adoptent une approche rationnelle globale pour préparer leur relève et planifier leur succession ; dans la majorité des cas, les entrepreneurs se limitent aux aspects techniques (gel successoral, bilan successoral, testament, fiscalité, juste valeur marchande de l'entreprise, compagnies de portefeuille, assurance-vie, etc.) ;

- L'entrepreneur met jusqu'à 80 000 heures pour bâtir son entreprise et environ 6 à 10 heures pour planifier sa succession.

CHAPITRE 2

LA FAMILLE ET L'ENTREPRISE : LES DISTINCTIONS

Une famille et une entreprise sont deux entités distinctes ayant des exigences distinctes et nécessitant des agissements distincts. Or souvent, avec le temps, l'entrepreneur éduque ses enfants pendant qu'il est au travail et règle ses problèmes d'affaires en famille. On en vient, parents et enfants, à ne plus faire la part des choses. Le temps a sournoisement fait son œuvre. Qu'y a-t-il de différent entre la famille et l'entreprise ?

Au travail, l'entrepreneur est **visionnaire**, **leader** et **responsable** et, chez lui, il est **éducateur** et **pourvoyeur**. À la maison, il apporte **affection** et **partage** et, au travail, il vise **productivité**, **rentabilité**, **retour sur investissement**, **croissance** et **part de marché**. Il **accepte** ses enfants, et il **sélectionne** ses employés. Il **donne** à ses enfants, et il **rémunère** ses employés pour le travail accompli. Le Tableau 5 présente certaines autres distinctions entre la famille et l'entreprise.

Par contre, d'autres rôles sont communs à la famille et à l'entreprise : l'entrepreneur est **modérateur**, à la fois dans sa famille et dans l'entreprise ; il vise à apporter **bien-être**, **compréhension**, **entraide**, **respect** et **loyauté**, à la fois à ses héritiers et à ses employés ; etc. Le Tableau 5 présente aussi certains rôles qui sont communs à la famille et à l'entreprise.

Après une courte réflexion, on comprend vite le rapprochement et l'écart entre la famille et l'entreprise. Certains rôles sont communs, certains sont distincts. Cependant, la vie de tous les jours et même le désir de bien faire amènent l'entrepreneur et sa famille à ne plus percevoir aucune différence entre les missions de la famille et celles de l'entreprise. Peu à peu, la **confusion** s'installe. Tous les rôles semblent communs et l'entreprise devient un prolongement de la famille. Lorsque, par exemple, les héritiers intégreront l'entreprise familiale, l'entrepreneur les aura-t-il **acceptés** ou **sélectionnés** ? Ces héritiers comprendront-ils qu'on ne leur **donnera pas** un salaire mais qu'ils seront **rémunérés** selon l'efficacité de leur travail ? Qu'est-ce que la famille et qu'est-ce que l'entreprise ? Où commence et finit la famille ; où commence et finit l'entreprise ? Quand penser en fonction de la famille ; quand penser en fonction de l'entreprise ? Le Graphique 1 présente la confusion qui se crée entre la famille et l'entreprise au cours de la vie de l'entrepreneur.

Or, la distinction existe et doit se faire ; la revue américaine *Entrepreneur* publiait en février 1992 un article sur l'entreprise familiale. On y lisait :

> *Congédier un membre de la famille n'est jamais facile, mais Stew Leonard réussit à bien le faire. Fondateur et président de Stew Leonard's, Stew a congédié son fils Tom et a malgré tout su préserver leurs relations personnelles.*
>
> *Il y a une dizaine d'années, Tom avait été invité par des amis alors que l'entreprise familiale vivait une période achalandée. Tom demanda un congé qui lui fut refusé par son supérieur. Tom s'absenta quand même.*

Tableau 5

LA FAMILLE ET L'ENTREPRISE : LES DISTINCTIONS À FAIRE

	FAMILLE	FAMILLE ET ENTREPRISE	ENTREPRISE
Parent/entrepreneur	Éducateur, pourvoyeur	Modérateur	Visionnaire, leader, responsable
Valeurs/performance	Affection, partage	Bien-être, compréhension, entraide, respect, loyauté	Productivité, rentabilité, retour sur investissement, croissance, part de marché
Héritiers/employés	Naissances, liens matrimoniaux	Départs, décès	Sélection, embauche, remerciements
Enrichissement/rémunération	Dons, héritage	Renforcement positif	Salaires, bonis, participations
Appartenance/autorité	Acceptation, liens familiaux	Discussion, communication, encouragements, conflits	Hiérarchie, politiques, décisions
Apprentissage/avancement	Cheminement individuel	Formation, développement	Plan de carrière, rendement, évaluations, promotions
Maison/affaires	Libres choix de chacun	Collaboration, influence, règles, exigences	Concurrence, plan stratégique de croissance, rôle défini pour chaque employé

Graphique 1

**LA CONFUSION DANS LES MISSIONS
DE LA FAMILLE ET DE L'ENTREPRISE**

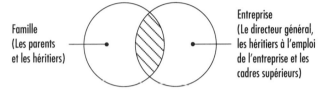

Famille
(Les parents
et les héritiers)

Entreprise
(Le directeur général,
les héritiers à l'emploi
de l'entreprise et les
cadres supérieurs)

La confusion dans les missions de la famille et de l'entreprise
s'installe progressivement au cours de la vie de l'entrepreneur.

*À son retour, son père lui dit : « Lorsque l'on gère
une entreprise familiale, il faut porter deux cha-
peaux : le premier est celui du patron, le second
est celui du père. »*

*« Je mets d'abord le chapeau du patron : tu as
quitté ton travail sans l'autorisation de ton supérieur. On a dû te remplacer. Tu es congédié. »*

*Stew prit son fils par le bras et lui dit ensuite :
« Maintenant, je mets le chapeau du père. Je suis
peiné d'apprendre que tu as perdu ton emploi. Que
puis-je faire pour t'aider ? »*

Le renvoi de Tom a servi d'exemple aux autres
membres de la famille qui travaillaient dans l'entreprise
familiale. Sa fille Jill fit remarquer : « Mon père nous a
tous réunis et nous a dit : "Je ne voulais pas congédier
Tom, mais j'ai dû le faire et j'agirai identiquement si l'un
de vous se comporte comme l'a fait Tom". » Jill ajouta :
« Ce que j'ai entendu m'a suffi ». Depuis, Stew Leonard
n'a jamais eu à congédier aucun autre de ses enfants.

Ne pas donner aux enfants des **avantages corporatifs non gagnés** – salaire, auto de compagnie, congés,

compte de dépenses, etc. – est certes plus contraignant et moins facile. Mais, on doit y voir un moyen d'éduquer ses héritiers, de leur apprendre à respecter les besoins de l'entreprise et de dissocier famille et entreprise. Bref, c'est un moyen de les amener à ne pas considérer l'entreprise comme « la poule aux œufs d'or » ou « la source qui ne tarira jamais ». Donner aux héritiers des avantages corporatifs non gagnés, c'est aussi leur donner le message que **l'entreprise existe pour la famille**, alors que les valeurs et les objectifs de l'entrepreneur peuvent être tout autres. Nous en parlerons plus loin.

Les parents **donnent** mais l'entreprise ne **paye** que pour les services rendus et bien rendus. Comment pourra-t-on plus tard demander aux héritiers d'agir avec discernement si on ne leur a pas appris ? Ce *love money* a trop souvent des conséquences négatives. **Il ne faut pas remplacer le cordon ombilical par le cordon de la bourse**.

S'il en est ainsi pour l'entrepreneur et ses héritiers, il en sera également ainsi entre les héritiers. Considérons la situation où certains héritiers travaillent dans l'entreprise et souhaitent sa **croissance** ; ils désireront réinvestir les revenus de l'entreprise afin de disposer des fonds nécessaires. Par ailleurs, d'autres héritiers faisant carrière hors de l'entreprise pourraient souhaiter retirer le plus possible en **dividendes**. Il peut s'en suivre des discussions chargées d'émotions où tout le vécu familial y passe, comme l'illustrent ces propos que nous avons entendus :

> *Tu as toujours été comme cela ! Tout pour toi ! Pense un peu aux autres ; après tout, tu es mon frère. Tu te paies un bon salaire, un compte de dépenses. J'ai, moi aussi, mes projets. On est tous propriétaires de l'entreprise. Je veux aussi ma part ; j'en ai besoin maintenant. Papa avait l'habitude de nous verser un revenu, de payer nos dépenses.*

43

Facilité et richesse freinent l'entrepreneurship. L'**excellence** est toujours durement gagnée ; l'entrepreneur le sait. Chaque semaine, le journal *La Presse* rend hommage à une personnalité ; une heureuse initiative d'Hydro-Québec, de Bell et d'Alcan. On y lit : « **Il n'est pas de succès qui se mérite s'il n'est construit sur l'excellence** ». Pourquoi en serait-il autrement pour les héritiers ? L'**excellence**, que nous sachions, n'est pas héréditaire. L'entrepreneur peut transmettre son succès – son entreprise – à ses héritiers ; mais chacun doit construire son **excellence**. La voie est tracée ; le journal *La Presse* ajoute : « **Encore plus que du talent, de l'intelligence, même du génie, l'excellence naît de l'effort.** »

Dans la parution de janvier 1993 de *Suites* – le magazine des diplômés et des diplômées de l'UQAM –, Hélène Morin cite les paroles de Pierre-Karl Péladeau :

> *Je pense qu'il est préférable pour un enfant d'apprendre la valeur de l'effort et de l'argent tout en lui permettant d'obtenir ce dont il a envie. Quand je compare avec les autres jeunes de mon âge qui brûlaient de l'essence en bateau tout l'été et que je les vois aujourd'hui dans des situations peu enviables, je me dis qu'ils auraient peut-être dû travailler aussi...*

La confusion croît avec les générations...

Il faut aussi comprendre que le niveau de confusion n'est pas stable ; **la confusion croît avec le temps**, avec l'arrivée des héritiers des héritiers (2e génération), des héritiers des héritiers des héritiers (3e génération), etc. Préparer sa relève et planifier sa succession, c'est tenir compte de cette tendance ; c'est prévoir aujourd'hui ce qui arrivera plus tard, lorsque les enfants des enfants voudront participer à la gestion et à la propriété de l'entreprise. Il faut donc définir correctement aujourd'hui ce qu'il en est et ce qu'il en sera afin que la préparation de la relève et la planification successorale ne soit pas une **bombe à retardement** qui éclatera à la 3ᵉ ou 4ᵉ génération. Le Graphique 2 montre que le nombre d'héritiers grandit avec le temps ; il y aura donc de plus en plus d'individus qui auront chacun leurs attentes, leurs intérêts et leurs réactions émotives personnelles.

Graphique 2

LA CONFUSION CROÎT AVEC LE TEMPS

Au cours de la 1ʳᵉ génération, les missions de la famille et de l'entreprise sont déjà entremêlées et indissociées.

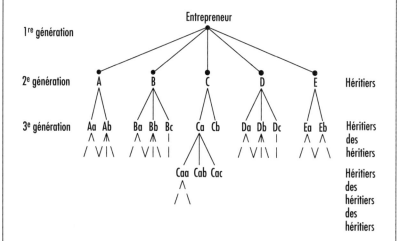

La confusion croît davantage au cours de la 2ᵉ génération, lorsque les héritiers des héritiers participent à la gestion et à la propriété de l'entreprise, et encore davantage au cours de la 3ᵉ génération avec la présence des héritiers des héritiers des héritiers ; d'où le dicton populaire : « La 1ʳᵉ génération fonde l'entreprise, la 2ᵉ génération la développe et la 3ᵉ génération la ruine ».

La revue française *L'Expansion* publiait dans le numéro de septembre/octobre 1990 un article intitulé : « Les profits entretiennent l'affection ». On y lisait :

> *Dans les clans familiaux, les trahisons ne sont plus exceptionnelles... Il est vrai, comme le dit crûment l'un de ces chefs de tribu, que « gérer la famille, c'est pas de la tarte ». Passe encore lorsqu'on en est à la première ou deuxième génération, comme dans la majorité des PME. Mais à la quatrième, cinquième ou au-delà, quand des centaines de cousins, cousines se connaissant à peine se partagent le capital d'entreprises importantes, comment s'assurer leur fidélité, éviter le népotisme, combiner croissance et dividendes ?*

Même si elles sont peu nombreuses, certaines entreprises familiales traversent harmonieusement le cap des générations ; on a fait mentir le fameux dicton : « La 1re génération fonde l'entreprise, la 2e génération la développe et la 3e génération la ruine ». Nous connaissons des entreprises qui en sont à la 3e, 4e, 5e et 6e génération.

Par exemple, dans sa parution du 17 octobre 1992, le journal *Les Affaires* rendait hommage à l'entreprise Omer DeSerres. On y lisait :

> *De génération en génération, les DeSerres ont été des pionniers.*
>
> *En 1908, un Canadien français qui se lançait dans le commerce au détail était considéré comme un excentrique, comme le fut Omer.*
>
> *En 1937, un Canadien français qui obtenait un diplôme en commerce de l'Université McGill était une exception, comme le fut Roger.*
>
> *Et en 1976, un jeune homme d'affaires qui décidait de tout remettre en question en ayant pour*

base une petite boutique d'articles d'artiste devait être un audacieux, comme le fut Marc.

Pourtant, Omer a connu du succès, Roger a eu jusqu'à 300 employés sous sa gouverne et Marc a fait de l'entreprise le plus gros fournisseur de matériel d'artiste et de graphisme au Canada.

... et avec la participation des cadres supérieurs et le nombre de propriétaires

Le Graphique 3 souligne que la confusion est encore plus profonde lorsque des **cadres supérieurs participent à la propriété** de l'entreprise. Lorsqu'un cadre supérieur participe à la propriété de l'entreprise, il est normal qu'il ait des attentes quant à sa propriété et à son leadership futur. Il voudra que ses héritiers soient

Graphique 3

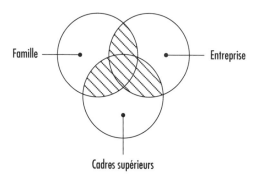

LA CONFUSION CROÎT AVEC LA PARTICIPATION DES CADRES SUPÉRIEURS À LA PROPRIÉTÉ DE L'ENTREPRISE

Famille — Entreprise

Cadres supérieurs

Lorsque des cadres supérieurs participent à la propriété de l'entreprise, la confusion dans les missions des familles et de l'entreprise est souvent plus grande.

de la relève. La confusion est également plus grande lorsque plusieurs individus, frères, sœurs ou étrangers, sont **copropriétaires** de l'entreprise. Le Graphique 4 montre l'étendue de la confusion dans un tel cas.

Si le partage de la propriété de l'entreprise – avec des cadres, sa conjointe, des frères et sœurs, ou des étrangers – peut apporter de nombreux avantages sur d'autres plans, être plusieurs copropriétaires ajoute à la complexité de la situation sur le plan de la gestion de l'entreprise familiale, de la préparation de la relève et de la planification successorale.

L'approche que nous proposons demeure la même dans de telles situations de l'entreprise familiale. Par contre, le nombre d'intervenants complique la

Graphique 4

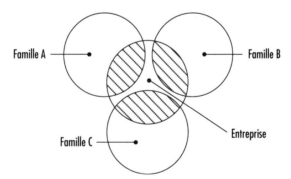

LA CONFUSION CROÎT AVEC LE NOMBRE DE COPROPRIÉTAIRES

Famille A

Famille B

Entreprise

Famille C

On peut facilement imaginer l'étendue de la confusion dans les missions des familles et de l'entreprise lorsque 2, 3 ou 4 entrepreneurs sont copropriétaires de l'entreprise, soient-ils membres d'une même famille ou étrangers.

démarche de préparation de la relève et de planification successorale. Il faudra plus d'énergie et d'efforts pour établir l'harmonie entre les copropriétaires et leurs héritiers respectifs et en arriver à dissocier les missions des familles et de l'entreprise.

Il est clair qu'il n'y a d'autre voie vers le bien-être de la famille et la croissance de l'entreprise que de reconnaître à l'entreprise son **identité** propre et d'éliminer autant que possible l'ingérence familiale dans l'entreprise. L'entreprise familiale doit d'abord être vue comme une entreprise tout court. Les propriétaires – la famille ou les familles – doivent accorder aux gestionnaires de l'entreprise familiale la liberté d'action et les moyens nécessaires pour atteindre les objectifs de rentabilité et de croissance.

LA FAMILLE

La famille est un regroupement d'individus fondé sur leurs relations. Le système familial est régi par des échanges émotifs où l'affection, la loyauté, le bien-être et l'entraide prédominent. Chaque famille se définit une culture propre avec le temps. L'auteur Gibb Dyer, dans son livre *Cultural Exchanges in Family Firms*, identifie **trois types de culture dans les systèmes familiaux** – patriarcale ou matriarcale, participative et conflictuelle – selon les façons d'exercer l'autorité, de travailler à atteindre les objectifs établis, de prendre les décisions et de gérer les conflits. Nous expliquerons chacune en nos mots.

D'abord la **culture patriarcale ou matriarcale**. Le chef de famille prend toutes les décisions importantes. Il est la dernière autorité ; il définit ce qui est bien et ce qui ne l'est pas. Les membres de la famille s'adressent à lui pour régler les conflits. L'entrepreneur, chef de famille, garde tout pour lui ; il voit peu de capacités chez les membres de la famille. Il ne parle ni de ses succès (ou échecs) en affaires ni de ses projets. Bref, il ne croit pas que sa famille puisse l'aider dans son travail ; il se voit plutôt comme celui qui donne à sa famille sans recevoir beaucoup en retour.

Il y a aussi la **culture participative**. Les membres de la famille sont informés de ce que font et veulent les autres et ils cherchent à s'entraider. On se fait mutuellement confiance. L'entrepreneur, chef de famille, discute de ses projets et chacun, sa conjointe et ses enfants, émet librement ses opinions et le conseille. Il en résulte une plus grande compréhension des affaires, des succès et des échecs de l'entreprise, du rôle et des projets de l'entrepreneur et des besoins de l'entreprise.

Le troisième type de culture est la **culture conflictuelle**. C'est la famille où chacun a ses rêves et ses objectifs. Chaque membre de la famille cherche à protéger ses intérêts personnels et il y a peu ou pas de confiance et d'entraide. Les conflits sont difficiles à régler et souvent perdurent. L'harmonie et la cohésion de la famille ne sont pas recherchées. L'entrepreneur, chef de famille, ressent la tension familiale et il ne s'y sent pas compris.

La culture familiale participative est évidemment plus favorable au développement des héritiers et à l'épanouissement de l'entraide. La culture conflictuelle nourrit dans son essence même la graine des guerres familiales. La culture patriarcale ou matriarcale est souvent un frein à l'apprentissage et l'autodétermination : les héritiers apprendront plus difficilement à naviguer seuls.

Il est clair que ces mêmes valeurs et croyances du chef de famille qui ont modelé la culture familiale – les façons de faire de la famille – seront transposées

- *Assurer la sécurité financière de la famille*   5 %
- *Procurer un bénéfice à la société*   1 %

Dans l'ensemble, les entrepreneurs pensent que l'entreprise profitera à la famille : les héritiers auront de meilleures possibilités de carrière, ils perpétueront le patrimoine et la famille demeurera unie.

Si légitimes que soient les vœux de l'entrepreneur, **l'action doit refléter les intentions** : l'entrepreneur doit donc passer à l'action et adopter, de son vivant, une démarche rationnelle pour la préparation de sa relève et la planification de sa succession. Rappelons les tristes statistiques : 70 % des entreprises familiales ne survivent pas jusqu'à la deuxième génération, et 90 % jusqu'à la troisième.

PLUSIEURS COPROPRIÉTAIRES

Lorsque l'entreprise est la propriété de plusieurs individus (par exemple, lorsqu'un entrepreneur et sa conjointe sont copropriétaires de l'entreprise), le cycle de vie de l'entreprise connaît des perturbations additionnelles, plus ou moins importantes selon l'harmonie du groupe de propriétaires ou du couple.

Sharon Nelton, dans son livre *In Love and in Business* publié en 1986, a identifié des sources de stress que peut rencontrer un couple en affaires durant le cycle de vie de l'entreprise ; nous les résumons en nos mots :

- styles de gestion et habitudes de travail différents ;
- inquiétudes et désaccords sur l'argent ;
- vies personnelle et professionnelle indissociées ;
- critique par le conjoint ;

- mésententes sur les objectifs et les décisions d'affaires ;
- manque de temps ;
- surcharge et fatigue ;
- nombre trop grand d'heures passées ensemble ;
- communication difficile ;
- difficultés à combiner les exigences du travail et de la maison.

Il est facile de comprendre que l'arrivée des héritiers du couple dans l'entreprise complique encore la situation. Comment les héritiers réagiront-ils ? Seront-ils portés à travailler avec l'un des copropriétaires ? Comment se régleront les conflits ? Qui décidera de la rémunération et des promotions ? Des vacances ? La confusion fera son nid.

Il est clair que, si de telles attitudes sont néfastes pour le couple en affaires, elles le sont aussi pour tout groupe de propriétaires d'une entreprise, soient-ils frères, sœurs ou étrangers. Si trop de temps et d'énergies sont nécessaires pour en arriver à décider **quoi** faire, **quand** le faire, **qui** doit le faire et **comment** le faire, il restera d'autant moins de temps et d'énergies pour l'action.

LES CONFLITS DANS L'ENTREPRISE FAMILIALE

Rappelons-nous les propos de Philippe de Gaspé Beaubien : « **Gérer une entreprise, c'est difficile ; gérer une entreprise familiale, c'est très difficile**. » Il est clair que l'entreprise familiale, comme toute entreprise, doit d'abord se battre pour survivre. C'est déjà difficile. On peut résumer certains **problèmes d'affaires** qu'on rencontre au cours du cycle de vie de l'entreprise :

- faiblesse en marketing, surtout quant aux stratégies de mise en marché ;

- conditions économiques difficiles ;
- concurrence audacieuse ;
- sous-capitalisation et insuffisance du fonds de roulement ;
- faible productivité ;
- faible rentabilité ;
- absence d'outils de gestion et manque d'information ;
- incompétence et faible motivation de certains cadres supérieurs ;
- refus de déléguer et centralisation des décisions ;
- absence de planification de la croissance ;
- manque de communication et de coordination des efforts ;
- absence de formation des ressources humaines ;
- refus ou négligence de s'adapter aux nouvelles technologies ;
- mésentente entre les copropriétaires ;
- faiblesse dans l'approche de recrutement ;
- refus ou négligence de consulter.

Lorsque l'entrepreneur ou le successeur tente, dans sa gestion de l'entreprise familiale, de contrer ces problèmes d'affaires, il est probable que, ce faisant, il « réveille l'ours qui dort ». Gérer l'entreprise familiale devient alors très difficile ; les problèmes d'affaires de l'entreprise prennent une dimension familiale – émotive – ce qui en accroît la complexité. En effet, les principales **causes de mésentente** entre les membres de la famille dans la gestion de l'entreprise familiale sont les suivantes :

- refus de l'entrepreneur d'effectuer la transition du leadership ; l'entrepreneur est satisfait de la situation actuelle alors que des héritiers souhaitent la croissance, des modifications dans les façons de procéder, etc. ;

- l'entrepreneur pense à vendre l'entreprise familiale et des héritiers craignent de perdre leur emploi ;

- la rentabilité de l'entreprise familiale ne permet plus de payer les salaires de tous les héritiers y travaillant ;

- l'entrepreneur souhaite garder l'entreprise dans la famille, mais aucun héritier ne veut ou ne peut prendre la relève ;

- l'entrepreneur exige trop de ses héritiers ;

- l'entrepreneur ne reconnaît pas les compétences individuelles de ses héritiers ;

- l'entrepreneur nomme des héritiers à des postes de direction sans qu'ils aient la compétence requise ;

- les héritiers ne s'entendent pas sur l'évolution de l'entreprise familiale ; certains souhaitent la croissance, d'autres des revenus et d'autres la vente de l'entreprise ;

- des héritiers n'acceptent plus la culture organisationnelle et le style de leadership de l'entrepreneur ;

- des héritiers qui ne travaillent pas dans l'entreprise familiale s'ingèrent dans la gestion sans en connaître les besoins ;

- des héritiers fournissent moins d'efforts que d'autres ;

- l'entrepreneur refuse de se départir des services des héritiers à l'emploi de l'entreprise familiale, même s'ils ne répondent pas aux attentes ;

- des cadres supérieurs ne voient plus leur avenir dans l'entreprise familiale avec l'arrivée des héritiers, ce qui alimente les conflits ;
- des cadres supérieurs se regroupent autour de tel ou tel héritier ;
- des héritiers se sentent traités injustement ;
- des héritiers n'approuvent pas le choix du successeur ;
- des conjoints influencent les héritiers, ce qui amplifie les mésententes.

Les entreprises familiales ne vivent pas toutes ces mésententes et les mésententes n'ont pas toujours la même intensité. **Autant l'harmonie familiale est source d'énergie et de confiance, autant la mésentente familiale empêche de passer à l'action.**

PROBLÈMES, OBSTACLES... QUE FAIRE ?

Les statistiques illustrent le faible taux de survie des entreprises familiales : **70 % ne survivent pas jusqu'à la deuxième génération, et 90 % jusqu'à la troisième.** Nous avons, par ailleurs, pris conscience des rôles distincts de la **famille** et de **l'entreprise** et de la confusion qui s'installe progressivement entre leurs missions.

Nous avons, de plus, identifié les principaux **obstacles** à la préparation de sa relève et à la planification successorale : la qualité de la gestion de l'entreprise, le comportement des héritiers, les intérêts de l'entrepreneur et la résistance aux changements. L'analyse du **cycle de vie de l'entrepreneur et de son entreprise** souligne que l'entrepreneur consacre peu de vrais efforts à la préparation de sa relève et à la planification de sa succession. Nous avons aussi parlé de **l'effet plateau** dans l'entreprise familiale.

Nous avons abordé les situations qu'engendrent l'**évolution**, l'**attrait** de l'entreprise familiale, la présence de plusieurs **copropriétaires** et les sources de **conflits** entre les membres de la famille.

Enfin, nous avons fait ressortir plusieurs caractéristiques susceptibles de nuire à la santé et à la survie de l'entreprise. **À présent, il faut se demander comment changer ces situations**. Nous proposons donc, dans les pages qui suivent, des gestes à poser dans la gestion de l'entreprise familiale, au cours de son cycle de vie. Ces gestes permettront de concilier famille et entreprise, d'associer héritiers et cadres supérieurs, d'établir l'harmonie entre les héritiers, d'agir selon un plan plutôt que de réagir aux situations. Ces gestes empêcheront l'entrepreneur de se dire, plus tard : « J'aurais dû, j'aurais donc dû ».

Mais avant, nous vous suggérons de remplir le questionnaire d'évaluation de la condition de **votre entreprise familiale**. Allez-y ! Prenez le temps de faire le point. Il suffit de répondre par **vrai** ou **faux**. En répondant aux questions, rendez-vous service : dites la vérité et résistez à la tentation de cocher ce que vous voudriez être. Nous suggérons que l'entrepreneur, ou chaque copropriétaire si c'est le cas, ainsi que chaque héritier et chaque cadre supérieur y répondent **individuellement**.

QUESTIONNAIRE D'ÉVALUATION DE LA CONDITION DE VOTRE ENTREPRISE FAMILIALE

STYLE DE LEADERSHIP

	VRAI	FAUX
• L'entrepreneur consulte les héritiers et les cadres supérieurs avant de prendre des décisions	❑	❑
• L'entrepreneur accepte de discuter, que les héritiers et les cadres supérieurs s'expriment	❑	❑
• L'entrepreneur délègue des responsabilités majeures	❑	❑
• L'entrepreneur sait reconnaître et rémunérer le rendement exceptionnel des cadres supérieurs	❑	❑
• L'entrepreneur sait reconnaître et rémunérer le rendement exceptionnel des héritiers	❑	❑
• L'entrepreneur prend des vacances sans s'inquiéter de ce qui se passe durant son absence	❑	❑
• L'entrepreneur a du temps pour sa famille et ses amis	❑	❑
• S'il y a plusieurs copropriétaires, ils arrivent à décider sans toujours revenir en arrière, sans se reprocher les gestes passés	❑	❑
• S'il y a plusieurs copropriétaires, ils s'entendent sur le partage des tâches, des profits, les promotions, etc.	❑	❑

LA GESTION DE L'ENTREPRISE

	VRAI	FAUX
• L'équipe de direction a établi un plan stratégique de croissance et le révise périodiquement	❏	❏
• L'équipe de direction a préparé des prévisions financières pour l'entreprise et chaque secteur de l'entreprise	❏	❏
• L'entreprise dispose d'états financiers mensuels et de rapports de direction périodiques pour chaque secteur de l'entreprise	❏	❏
• L'équipe de direction compare les résultats obtenus aux prévisions financières et révise sa planification	❏	❏
• Les profits augmentent avec le chiffre d'affaires	❏	❏
• L'entreprise dispose d'un bon fonds de roulement	❏	❏
• Les profits sont réinvestis dans l'entreprise pour répondre à ses besoins, à la concurrence et assurer sa croissance	❏	❏
• L'entrepreneur a créé un conseil d'administration ou comité de gestion	❏	❏
• Le conseil d'administration ou comité de gestion se réunit régulièrement et collabore vraiment à la gestion de l'entreprise	❏	❏
• L'équipe de direction tient périodiquement des rencontres de gestion pour coordonner les efforts de chaque secteur de l'entreprise	❏	❏
• Les rencontres de gestion sont efficaces		
• Les imprévus majeurs sont rares et les cadres supérieurs ne font pas qu'éteindre des feux	❏	❏
• Les salaires sont établis selon des échelles basées sur la compétence et les responsabilités	❏	❏

	VRAI	FAUX
• Les bonis sont accordés selon le rendement et chaque employé en connaît les critères d'attribution	❏	❏

LE RÔLE DES CADRES SUPÉRIEURS DANS L'ENTREPRISE

	VRAI	FAUX
• Chaque cadre supérieur occupe un poste défini et chacun connaît le rôle et les responsabilités des autres	❏	❏
• Chaque cadre supérieur fait ce qu'il a à faire et tous collaborent à la gestion et la croissance de l'entreprise	❏	❏
• Les cadres supérieurs collaborent à la formation des héritiers	❏	❏
• Les cadres supérieurs sont traités équitablement en comparaison avec les membres de la famille	❏	❏
• Les cadres supérieurs voient leur avenir dans l'entreprise	❏	❏
• L'entreprise sait garder ses cadres supérieurs	❏	❏
• Les promotions sont accordées selon des critères établis et les cadres supérieurs non membres de la famille se sentent considérés	❏	❏
• Chaque cadre supérieur sait qu'il sera remercié si son rendement n'est pas adéquat	❏	❏

LE RÔLE DES HÉRITIERS DANS L'ENTREPRISE

	VRAI	FAUX
• L'embauche d'un héritier s'effectue selon des critères établis et on s'assure de sa motivation et de ses capacités	❏	❏
• Les héritières ont aussi leur place dans l'entreprise ; elles sont considérées pour les postes de cadres supérieurs, les promotions et le poste de directeur général	❏	❏
• Chaque héritier occupe un poste défini et tous connaissent son rôle et ses responsabilités	❏	❏
• Le rendement de chaque héritier est évalué annuellement et il reçoit un « feed-back »	❏	❏
• Chaque héritier fait ce qu'il a à faire et tous collaborent à la gestion et la croissance de l'entreprise	❏	❏
• Chaque héritier connaît son plan de carrière dans l'entreprise	❏	❏
• Les intérêts de l'entreprise passent avant le bien-être personnel de chaque héritier	❏	❏
• Chaque héritier sait qu'il sera remercié si son rendement n'est pas adéquat	❏	❏

LA TRANSITION DU LEADERSHIP

	VRAI	FAUX
• L'entrepreneur a identifié le successeur	❏	❏
• Le successeur a le respect et l'appui des cadres supérieurs	❏	❏
• Le successeur connaît le secteur d'affaires et a une formation en gestion	❏	❏
• L'entrepreneur a établi un échéancier pour la transition du leadership, de la propriété et du contrôle, qui est connu des héritiers et des cadres supérieurs	❏	❏
• L'entrepreneur a prévu un autre plan de relève si le successeur choisi ne peut agir	❏	❏
• Si l'entrepreneur décède subitement, la prise en charge de l'entreprise a été prévue	❏	❏
• Si plusieurs individus sont ou seront copropriétaires de l'entreprise, des conventions entre propriétaires ont été signées	❏	❏
• Ces conventions satisfont chacun des copropriétaires	❏	❏
• Le successeur n'aura pas de surprise, il sait ce qui l'attend	❏	❏
• L'entrepreneur a prévu des mesures pour assurer la liberté d'action du successeur	❏	❏
• L'entrepreneur a des loisirs, intérêts et occupations autres que son entreprise	❏	❏
• L'entrepreneur a préparé sa retraite	❏	❏

L'HARMONIE FAMILIALE

	VRAI	FAUX
• La famille a créé un conseil de famille et a défini son rôle ainsi que le credo familial	❏	❏
• La famille se réunit régulièrement et discute de son rôle, de sa contribution à l'entreprise, de la préparation de la relève et de la planification successorale	❏	❏
• Les héritiers connaissent les mesures prévues au testament de l'entrepreneur	❏	❏
• La famille sait en arriver à des compromis et prendre des décisions sur tout sujet abordé	❏	❏
• Les conflits entre membres de la famille sont discutés et réglés rapidement	❏	❏
• La famille obtient l'aide d'un conseiller externe lorsque c'est nécessaire	❏	❏
• L'entrepreneur et les héritiers ont convenu de critères pour le choix du prochain directeur général et des modalités de transition du leadership, de la propriété et du contrôle	❏	❏
• Les héritiers connaissent les projets de chacun et s'entraident	❏	❏
• Les rencontres en famille sont agréables	❏	❏
• La famille a des loisirs et occupations autres que l'entreprise	❏	❏
• La famille est consciente de son rôle social et de l'apport de l'entreprise à la société	❏	❏
• Les héritiers sont encouragés à obtenir une formation et certains, à faire carrière hors de l'entreprise	❏	❏
• Les héritiers connaissent la performance de l'entreprise ainsi que ses besoins	❏	❏
• S'il y a des copropriétaires, il y a une bonne entente entre leurs familles	❏	❏

LES MODALITÉS DE PARTAGE DU PATRIMOINE

	VRAI	FAUX
• L'entrepreneur a défini les modalités de partage du patrimoine entre ses héritiers	❑	❑
• L'entrepreneur a consulté un expert externe quant aux modalités de partage du patrimoine	❑	❑
• Les héritiers connaissent les mesures testamentaires de l'entrepreneur et acceptent les modalités de partage prévues	❑	❑
• Chaque héritier sait qu'il sera traité équitablement	❑	❑
• L'entrepreneur a contracté les assurances-vie nécessaires	❑	❑

LES MODALITÉS DE TRANSITION

	VRAI	FAUX
• L'entrepreneur a fait établir la juste valeur marchande de l'entreprise	❑	❑
• L'entrepreneur a consulté un conseiller en gestion et ses experts externes quant aux modalités de transition	❑	❑
• L'entrepreneur a fait établir son bilan successoral	❑	❑
• L'entrepreneur sait ce que coûteront les impôts à son décès	❑	❑
• Un fiscaliste a conseillé l'entrepreneur quant aux mesures permettant de réduire les charges fiscales	❑	❑
• L'entrepreneur a fait établir des prévisions financières afin de mesurer la capacité de l'entreprise à respecter ses engagements financiers à la suite de la transition	❑	❑
• L'entrepreneur a prévu ses besoins financiers à sa retraite	❑	❑

LA STRUCTURE ET LES CONVENTIONS LÉGALES

	VRAI	FAUX
• L'entrepreneur a fait son testament	❏	❏
• L'entrepreneur a consulté un conseiller juridique quant à la structure et les conventions légales		
• La structure et les conventions légales ont été établies selon les souhaits de l'entrepreneur et des héritiers	❏	❏
• Les héritiers connaissent et acceptent les règles de partage des profits, et les restrictions de leur droit de vote et du transfert des actions, s'il y a lieu	❏	❏
• Les conventions légales entre les héritiers ont été signées	❏	❏
• Les conventions entre héritiers prévoient des mesures assurant la liberté d'action du successeur	❏	❏
• Les conventions entre héritiers prévoient des mesures de rachat des actions	❏	❏
• La structure et les conventions légales tiennent compte de l'accroissement du nombre des héritiers avec les générations futures	❏	❏
• Les héritiers ont contracté les assurances-vie nécessaires	❏	❏
• L'entrepreneur a signé un mandat d'inaptitude	❏	❏

Chaque réponse où l'on a répondu **FAUX** méritera une attention particulière. Un conseiller compétent saura analyser les résultats et les écarts entre les réponses.

CHAPITRE 4

GÉRER L'ENTREPRISE FAMILIALE : PRÉPARER SA RELÈVE ET PLANIFIER SA SUCCESSION

Inutile d'espérer que ses héritiers soient instantanément prêts à gérer l'entreprise familiale, s'ils n'y ont pas été préparés. Par ailleurs, il est illusoire de croire que les héritiers « embarqueront dans les chaussures de l'entrepreneur en nouant leurs lacets exactement de la même façon » ou, en d'autres mots, qu'ils prendront la relève sans vouloir déroger à la culture organisationnelle que l'entrepreneur a implantée. Chaque héritier a sa personnalité propre, et ses façons de faire seront à coup sûr différentes de celle de l'entrepreneur. Souvent même, les enfants seront des **initiateurs de changement**, et ce, d'autant plus s'ils ont dû « ronger leur frein » sous le règne de l'entrepreneur. **Préparer sa relève et planifier sa succession, c'est d'abord accepter qu'il y aura des choses qui changeront ; mieux encore, c'est provoquer ces changements, toutefois, nous le répétons, avec prudence.**

Par ailleurs, les héritiers doivent sincèrement collaborer et mettre les bouchées doubles afin d'être capables d'agir en temps voulu. Ils doivent aussi éviter de jouer à la **chaise musicale** autour du **fauteuil du**

président ou se contenter d'être membres du **club des héritiers chanceux**.

Il faut se préoccuper du plan de carrière des héritiers. Une étude américaine publiée en 1986 (« Succcssion in the Family Firm : The Inheritor's View », par la professeure Birley, *Journal of Small Business Management*) démontre que plus de 40 % des enfants d'entrepreneurs avaient, au cours de leurs études universitaires, pris la décision de ne pas entrer dans l'entreprise familiale. Généralement, l'entrepreneur cherche à les intégrer tous et à tout prix. Il n'est pas évident que chaque héritier doive participer à la gestion de l'entreprise et encore moins que ceux qui y participent le fassent identiquement. Bien que chacun soit un **héritier** parce que **membre de la famille** et, de ce fait, possiblement un futur **propriétaire**, certains seulement deviendront des **cadres supérieurs** et un seul sera **directeur général**.

Au cours des pages qui suivent, nous proposons une approche rationnelle globale pour la préparation de la relève et la planification successorale. Et comme il faut partir du bon pied dès le début, nous présentons, à l'intention du jeune entrepreneur et du successeur du fondateur, tant les **conditions préalables** que les **cinq étapes** à suivre pour préparer une bonne transition de l'entreprise d'une génération à l'autre.

Nous proposons aussi à l'intention de l'entrepreneur plus âgé, maintenant en fin de carrière, un **échéancier** de son **plan de relève**. Dans un tel cas, on ne peut retourner dans le temps ; il faut donc agir à partir de la situation actuelle. Nous suggérons aussi des moyens d'**éviter les conflits, ou de les régler**, dans la gestion de l'entreprise familiale. Nous parlerons des rôles du **conseil de famille**, du **conseil d'administration** ou du **comité de gestion**. Nous discuterons de la **relève idéale**, des **décisions préliminaires majeures** que doit prendre l'entrepreneur, et des **erreurs** qu'il doit éviter.

LES CONDITIONS PRÉALABLES À LA PRÉPARATION DE LA RELÈVE ET À LA PLANIFICATION SUCCESSORALE

Mais comment gérer l'entreprise familiale tout en préparant sa relève et en planifiant sa succession ? Pour commencer, il faut **rétablir les missions distinctes de la famille et de l'entreprise.** Le Graphique 7 présente la situation à atteindre. Il faudra y mettre des efforts car le bien-être de la famille et la survie de l'entreprise en dépendent. L'entrepreneur et ses héritiers vivront leurs préoccupations familiales en famille – incluant celles des propriétaires actuels et futurs de l'entreprise –, et l'entreprise vivra ses objectifs de rentabilité et de croissance, à l'abri de l'ingérence et des conflits familiaux.

Le tableau 10 présente les **conditions préalables** à la préparation de la relève et à la planification successorale. D'une part, l'entrepreneur doit vouloir **agir de son vivant.** Nous l'avons déjà dit, certains gestes

Graphique 7

LE RESPECT DES MISSIONS DISTINCTES DE LA FAMILLE ET DE L'ENTREPRISE

Famille   Entreprise

Mission de   Gestion   Mission de
la famille   des interactions   l'entreprise

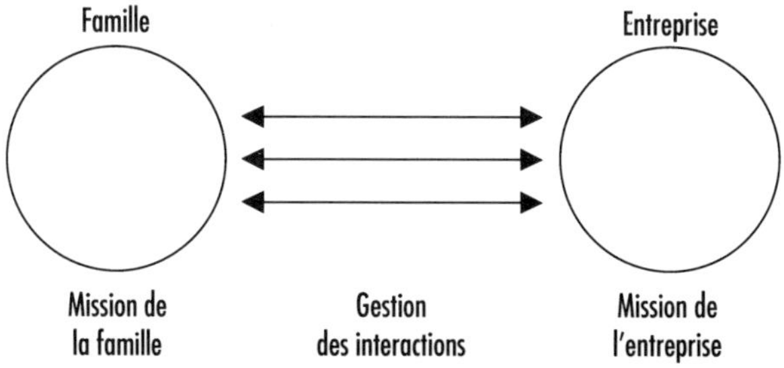

Tableau 10

LES CONDITIONS PRÉALABLES À LA PRÉPARATION DE LA RELÈVE ET À LA PLANIFICATION SUCCESSORALE

- Respect des missions distinctes de la famille et de l'entreprise ;
- Volonté de l'entrepreneur d'agir de son vivant ;
- Motivation des héritiers à participer à la propriété et à la gestion de l'entreprise et compétence des héritiers à être cadres supérieurs ;
- Collaboration des cadres supérieurs non membres de la famille ;
- Compréhension de la culture organisationnelle de l'entreprise ;
- Acceptation du changement prudent de la culture organisationnelle et des « manières de faire » ;
- Implantation d'outils de gestion efficaces ;
- Aide d'un conseiller compétent, spécialiste des entreprises familiales, et collaboration des experts externes.

doivent être posés maintenant et se vivre maintenant. C'est la dimension préparation de la relève.

D'autre part, les héritiers doivent **être motivés** à participer à la gestion de l'entreprise et avoir **la capacité** d'être cadres supérieurs. L'entreprise devra aussi fournir un **soutien organisationnel** adéquat. Il est connu que le rendement est le résultat de la motivation, de la capacité et du soutien organisationnel :

Rendement = motivation x capacité x soutien organisationnel

Nous savons tous que la motivation est surtout fonction des intérêts, des attentes et des besoins personnels. La capacité varie selon les talents, les qualités, la formation et l'expérience. Le soutien organisationnel se fonde essentiellement sur la culture organisationnelle, le style de leadership, les outils de gestion et les ressources humaines, financières et physiques. Nous expliquons quelques-uns de ces facteurs.

Les **intérêts** d'un héritier dans l'entreprise doivent répondre à ses goûts. Est-ce la gestion ? La direction ? La production ? La croissance ? Les gains financiers ? Être à son compte ? Le secteur d'affaires ? Son rôle social ? Une carrière ? Etc.

Les **attentes** correspondent à ce que l'héritier prévoit obtenir de la famille et de l'entreprise. Par exemple, de la famille, entraide, compréhension, support, encouragement, participation, liberté d'action, juste partage du patrimoine, etc., et de l'entreprise, salaire, poste de direction, reconnaissance de sa performance, promotions, appui, respect, collaboration, etc.

Les **besoins** sont communs à tout être humain : sécurité, appartenance, estime (pouvoir, statut, prestige, être fier de soi, etc.) et actualisation. Les besoins s'expriment à des niveaux différents et de façons variées, selon les **intérêts** et les **attentes** de chacun. Par exemple, le besoin de pouvoir pourrait inciter un héritier à vouloir diriger la production, si tel est son intérêt ; mais si son besoin de pouvoir est moins grand, il pourrait très bien vouloir travailler dans la production sans occuper un poste de direction. D'autre part, un héritier dont l'intérêt est la gestion et dont le besoin de pouvoir est grand, pourrait souhaiter succéder à l'entrepreneur.

Les **talents**, ce sont les aptitudes et les habiletés. Par exemple, le sens de la planification, de l'organisation, de la décision, du contrôle, l'esprit d'analyse, de synthèse, le jugement, etc. Ces aptitudes peuvent être actualisées ou potentielles ; si elles sont actualisées, on dit que l'héritier a développé des habiletés. Par ailleurs, un héritier peut avoir développé des habiletés sans avoir des aptitudes aussi grandes qu'un autre qui n'a pas eu l'occasion de développer les siennes. On parle dans un tel cas, d'aptitudes potentielles. Pensez, par exemple, aux dépisteurs de nouveaux joueurs au hockey ; ils tentent d'identifier les talents potentiels avant qu'ils aient été actualisés, avant que des habiletés aient été vraiment développées.

Les **qualités** sont les caractéristiques du comportement d'un individu et de ses relations interpersonnelles ; par exemple, la flexibilité, la résistance au stress, la confiance en soi, la détermination, etc., et encore, la communication, le leadership, le sens de l'écoute, la capacité de gérer les conflits, etc.

Lors du Colloque AIESEC/UQAM 1992 sur le thème *L'entreprise familiale : gestion et relève*, nous avons expliqué les aspects humains de l'entreprise familiale. À la fin de notre présentation, un père nous disait :

> *Ce que vous dites est tout à fait vrai. Regardez, je suis seul aujourd'hui à participer au Colloque ; mes fils n'ont pas cru bon d'y venir. Ils ne voient pas la nécessité de parfaire leur formation. Que dois-je penser de leur motivation ? Je comprends aujourd'hui que leur manque de motivation explique leur faible rendement.*

Il faut se soucier du rôle des héritiers dans l'entreprise. Notre collègue, Yvan Tellier, docteur en psychologie et M.B.A., explique :

> *L'enrichissement des tâches postule que trois principaux facteurs augmentent la motivation et la satisfaction au travail :*
> * *le sentiment d'apporter une contribution valable ;*
> * *le sentiment d'être responsable de son rendement au travail ;*

- *le feed-back immédiat des résultats de son travail.*

On doit aussi s'assurer, au sein de la grande entreprise familiale, la **collaboration des cadres supérieurs**. Leur rôle est essentiel puisqu'ils garantissent la continuité des activités de l'entreprise et possèdent la connaissance des rouages actuels.

Comme le disait Jean Coutu, président du conseil et chef de direction du Groupe Jean Coutu :

Dans mon cas, ce fut facile. Un jour, mes deux collaborateurs les plus proches, Yvon Béchard et Jacques Masse, m'ont dit : « Monsieur Coutu, Louis, l'aîné, s'est taillé une place dans la compagnie. Michel est président aux États-Unis, en train de créer la division américaine et c'était son choix. Maintenant, il est temps de nommer votre successeur. François-Jean est pharmacien, avec une bonne expérience du travail. Il est aimé des employés. Nommez-le et nous serons là pour l'aider ». On venait de me donner la preuve que mes cadres étaient fiers de préparer avec moi ma relève, ni trop tôt, ni trop tard.

La *Revue Commerce* de septembre 1992 publiait un article intitulé « L'après – Pierre Péladeau ». On y lit :

Le grand défi de Pierre-Karl Péladeau consistera à maintenir de bonnes relations entre la tête du conglomérat et les cadres supérieurs des unités exploitantes. Pierre Péladeau, aussi exigeant envers ses cadres qu'envers lui-même, n'est pas un tendre. Mais il a tout de même réussi à former une des meilleures équipes de gestion au Québec. La meilleure, avec celle de Bombardier, à son avis.

Les héritiers doivent comprendre la **culture organisationnelle** de l'entreprise. Mais, il faut aussi accepter que certaines **façons de procéder** changeront avec l'arrivée des héritiers et la transition du leadership. On devra favoriser alors la **gestion participative**. Il ne peut en être autrement. Par ailleurs, l'entreprise doit être bien gérée, sinon il faudra implanter, préalablement à la transition du leadership, de bons **outils de planification et de contrôle**. Si l'on souhaite que la relève gère efficacement l'entreprise, il est évident qu'on doit lui en donner les moyens.

Il est souhaitable que la révision des outils de gestion soit le résultat d'un travail d'équipe. Dans son livre, *Objectif qualité totale*, traduction de l'ouvrage de M. James Harrington, l'auteur explique les conditions d'une gestion participative efficace ; nous les avons adaptées à la situation de l'**entrepreneur** et des **héritiers** au sein de l'entreprise familiale :

- *L'entrepreneur doit être prêt à partager ses pouvoirs et ses responsabilités.*
- *L'entrepreneur doit faire confiance à ses **héritiers**.*
- *La résolution des problèmes et la formation à la prévention sont d'une extrême importance.*
- *Le travail doit être vu comme un effort de collaboration entre l'entrepreneur et les **héritiers**. Les décisions de la majorité doivent primer et l'entrepreneur doit avoir le courage de rejeter les solutions qui ne sont pas satisfaisantes pour l'entreprise.*
- *L'entrepreneur doit être prêt à accepter un système de gestion qui décentralise les prises de décision. Nous aimons tous savoir qui a pris telle ou telle décision. Avec la gestion participative, c'est impossible. L'entrepreneur doit lutter contre sa propension à tenir un **héritier***

responsable de toute décision prise par le groupe. Il faut absolument abandonner cette habitude de toujours vouloir savoir qui a fait quoi et passer à des méthodes plus constructives.

- **L'entrepreneur** *doit être convaincu que chaque* **héritier** *peut avoir de bonnes idées et que c'est à partir de la mise en commun de toutes les idées individuelles qu'on arrivera à la meilleure solution.*

- **L'entrepreneur** *doit être prêt à appliquer les suggestions des* **héritiers** *quand elles sont réalisables.*

- **L'entrepreneur** *doit fournir un environnement où les* **héritiers** *pourront faire preuve d'un plus grand dévouement à l'entreprise.*

- **L'entrepreneur** *doit savoir reconnaître les succès de ses* **héritiers***.*

- **L'entrepreneur** *doit considérer la gestion participative comme une entreprise à long terme et ne pas s'attendre à des résultats immédiats.*

Le texte original de Harrington parlait de direction, cadres supérieurs et employés ; nous avons remplacé *direction* et *cadres supérieurs* par « entrepreneur » et *employés* par « héritiers ». Bien sûr, la gestion participative est une préoccupation de toutes les ressources humaines de l'entreprise. D'ailleurs, l'auteur souligne qu'une des conditions de la gestion participative est que : « le mouvement syndical doit devenir un partenaire actif de la gestion participative ». Nous sommes cependant d'avis que dans l'entreprise familiale, elle doit d'abord être le style de gestion de l'entrepreneur et des héritiers. En effet, l'entrepreneur et ses héritiers sont la direction actuelle et future de l'entreprise ; ils doivent, eux d'abord, partager une vision commune de la gestion et de l'évolution de l'entreprise. La participation doit avant tout, quant à l'entreprise familiale, se retrouver au sein du **clan familial**. Comment demander aux cadres et aux employés de vivre la gestion participative si les propriétaires actuels et futurs ne peuvent y arriver? Après coup, la recherche de la participation s'étendra aux cadres supérieurs et intégrera tous les employés. Alors, comme le souligne Harrington, l'entreprise en retirera les avantages suivants :

- *Importante amélioration de la qualité et de la productivité à l'intérieur comme à l'extérieur de l'entreprise ;*
- *Amélioration et augmentation du chiffre d'affaires.*
- *Amélioration de la communication à tous les niveaux de l'entreprise ;*
- *Amélioration de l'état d'esprit des employés par de meilleures relations entre la direction et eux ;*
- *Résolution de problèmes qui auraient été considérés comme peu importants auparavant et donc négligés ;*
- *Participation de tous les employés à mesure que les objectifs du directeur du service et ceux de l'entreprise dans son ensemble coïncident.*

Amener les héritiers, les cadres et les employés, à collaborer à l'amélioration de la gestion, n'est-ce pas là une excellente façon de bâtir une équipe? Lorsqu'il approche de sa retraite, l'entrepreneur a-t-il d'autres choix que de faire confiance et déléguer? Il vaut mieux avoir « préparé le terrain ! »

Jean-Marc Chaput, dans son livre *À la recherche de l'humain*, cite un exemple de gestion japonaise ; on y lit :

Le mot « hiérarchie » n'est qu'une façon de parler dans le vocabulaire des Japonais. Selon eux, il n'y a qu'une interrelation de toutes choses et chaque chose dépend du reste.

C'est ce qu'ils nomment le grand « WA ». Ce qui veut dire équilibre, harmonie !

Dans le grand « WA », le malheur des uns ne fait pas le bonheur des autres. Quand quelqu'un souffre quelque part sur la grande « boule », les Japonais déclarent la « boule » malade.

De passage chez Yamaha Corporation, j'ai voulu savoir ce qu'il en était vraiment au niveau des affaires. On me montra alors l'organigramme de la compagnie sur une grande feuille et je ne pus retenir ma surprise. Au lieu de la sempiternelle pyramide : UN CERCLE ! J'ai alors demandé à mon guide : « Mais comment cela fonctionne-t-il ? »

Il m'a regardé en souriant et m'a dit : « Le président de l'entreprise au haut du cercle est directement relié au gars qui nettoie les toilettes au bas du cercle. Quand le nettoyeur fait un mauvais travail, le président n'est pas content du tout. Et l'avantage du cercle, Monsieur, c'est qu'on peut le tourner ! » Le nettoyeur monte en haut du cercle et le président descend au bas : cela signifie que lorsque les toilettes sont sales, le type important, c'est le nettoyeur, non le président.

Finalement, l'entrepreneur doit se faire aider par un **conseiller compétent** qui saura comprendre ses souhaits, ceux des héritiers, les besoins de l'entreprise, le rôle des cadres supérieurs et coordonner le travail des experts externes – expert-comptable, fiscaliste, conseiller juridique, assureur – dans l'établissement des modalités de transition, de la structure et des conventions légales.

LA QUALITÉ DE LA GESTION

Quelques mots sur l'importance d'une saine gestion. Les analyses de Dun & Bradstreet le démontrent année après année, **plus de 90 % des échecs en affaires sont causés par des carences de gestion**. Ces statistiques indiquent clairement l'importance à accorder à la gestion de toute entreprise, soit-elle familiale ou non.

Cependant, une considération particulière incite l'entrepreneur – propriétaire d'une entreprise familiale – à implanter dans son entreprise de bons outils de gestion : plus de 66 % des entrepreneurs souhaitent laisser leur entreprise à leurs héritiers. Puisqu'on s'attend à ce que la relève gère l'entreprise, il est évident qu'on doit lui donner les moyens de le faire efficacement.

Une saine gestion : croissance et longévité

Trop souvent, nous rencontrons encore des entrepreneurs qui ne voient pas la nécessité de se donner des objectifs d'affaires, de préparer un plan stratégique de croissance, d'établir des prévisions financières, d'avoir des états financiers mensuels, d'analyser des rapports de direction. Comment alors penser à la transition du leadership si tout est dans la tête de l'entrepreneur ?

Malgré qu'il en soit ainsi, l'entrepreneur et les héritiers exigeront, après que le successeur a pris les rênes, de connaître ses plans et de contrôler l'évolution de l'entreprise. Et le successeur n'aura d'autres choix que de faire connaître ses couleurs. En effet, sa performance, en tant que dirigeant d'entreprise, influencera la rentabilité, ce qui aura un impact direct, d'une part, sur la capacité de l'entreprise de **rembourser** l'entrepreneur et, d'autre part, sur l'avoir et les revenus des autres héritiers copropriétaires. Comment y arrivera-t-il sans les outils adéquats ?

Si l'entrepreneur au moment où il gère **seul** l'entreprise, peut agir sans **consulter** ou être **évalué** – bien sûr, son banquier le fait –, il en est autrement lorsque plusieurs héritiers se partagent la propriété de l'entreprise. Plus il y a d'individus qui ont des intérêts, des attentes et des droits sur l'entreprise, plus grande est la nécessité d'y **voir clair**.

Une étude effectuée par les chercheurs C.M. Daily et M.J. Dollinger et publiée dans le *Family Business Review* de l'été 1992 montre les écarts entre une **gestion professionnelle** (présence de cadres supérieurs dont aucun n'est membre de la famille) et une **gestion familiale** dans les entreprises de fabrication analysées. Voici deux commentaires tirés des résultats obtenus par les chercheurs :

- Les entreprises de **gestion professionnelle** étaient plus grandes que les entreprises de **gestion familiale** : en moyenne 129 employés contre 35 employés ;

- Les entreprises de **gestion professionnelle** étaient plus âgées que les entreprises de **gestion familiale** : les unes avaient une moyenne d'âge de 51 ans contre 33 ans pour les autres.

Une saine gestion peut apporter **croissance** et **longévité**. Toutefois, l'étude n'a pas démontré que les entreprises de **gestion professionnelle** avaient une performance supérieure à celles de **gestion familiale**. La performance a été mesurée par les quatre indicateurs suivants : la croissance du chiffre d'affaires, l'évolution de la marge nette, l'évolution de la marge brute et la perception subjective de la performance de l'entreprise comparativement à celle de son principal concurrent.

La recherche de l'expansion

L'expansion en soi n'est pas un objectif souhaitable ; trop souvent, on recherche la croissance au détriment de la rentabilité et de l'autonomie financière. **Le profit est la raison d'être de toute entreprise et sa source première de financement**, soit-elle petite, moyenne ou grande, soit-elle familiale ou non. Il faut en convenir, si la gestion des activités coutumières de l'entreprise requiert de bons outils de planification et de contrôle, il est clair que la gestion de l'expansion en requiert de meilleurs qui tiennent aussi compte de la **rentabilité** et de **l'autonomie financière**.

Combien de belles entreprises ont connu de sérieux problèmes, sinon l'échec, après avoir entrepris des projets d'expansion hasardeux ? Nos entrepreneurs, comme ceux d'ailleurs, ont vécu le « tourbillon » des fusions et des acquisitions – que nous appelons « **l'euphorie du *big-bang*** ». Les médias nous ont raconté la saga des Lavalin, Campeau, Malenfant, Reichman, etc. Les recherches indiquent que plus des deux tiers des projets de fusions et d'acquisitions ne répondent pas aux attentes ; bon nombre de ceux-ci ont dû par la suite être **désinvestis** : il a fallu faire marche arrière. Pensons, près de nous, à cet entrepreneur qui a bataillé pour acheter Steinberg... pour devoir s'en départir plus tard.

Dans leur livre, *Gérer l'entreprise familiale : objectif longue durée*, les auteurs reconnaissent que les **entreprises hénokiennes** qu'ils ont observées présentaient les objectifs suivants quant à la **rentabilité**, l'**autonomie financière** et l'**expansion** :

- *pour une **haute** rentabilité ;*
- *pour une **grande** autonomie* (financière) ;
- *pour une expansion* **modérée**.

C'est un des secrets de leur longévité. Les auteurs ajoutent : « Ce qui traduit en apparence une finalité de survie tranquille même si ce n'est pas aussi simple qu'on pourrait le croire, car cela nécessite un pilotage très fin... »

Les stratégies d'entreprises

Les chercheurs Daily et Dollinger ont aussi analysé les stratégies d'entreprise adoptées par chacun des deux groupes – les entreprises de **gestion professionnelle** et les entreprise de **gestion familiale** – selon le modèle de Miles et Snow : **défensive**, **prospective**, **analytique** ou **réactive**. La question posée était la suivante :

> *Comment décririez-vous votre stratégie d'entreprise pour votre gamme majeure de produits (ne cocher qu'une seule stratégie) ?*

☐ *Nous nous en tenons à ce que nous savons faire et nous le faisons aussi bien sinon mieux que quiconque (**défensive**).*

☐ *Nous avons un programme précis afin d'être innovateurs et nous acceptons d'encourir les risques requis pour le lancement de nouveaux produits ou de nouveaux services prometteurs (**prospective**).*

☐ *Nous ne voulons pas être les premiers du secteur a offrir un nouveau produit ou un nouveau service, mais nous essayons de suivre aussitôt avec un produit ou un service similaire qui est concurrentiel (**analytique**).*

☐ *Nous ne suivons pas un programme ou un plan précis afin d'être plus concurrentiels, tel que ceux décrits plus haut. Cependant, si nous faisons face à de fortes menaces, nous apportons assurément des changements (**réactive**).*

127

Les résultats ont montré qu'environ 41 % des entreprises étudiées avaient adopté une stratégie d'entreprise **prospective**, et qu'environ 8 % avaient adopté une stratégie d'entreprise analytique. Les auteurs soulignent qu'il n'y a pas de différence significative entre le nombre d'entreprises de chaque groupe – de **gestion professionnelle** et de **gestion familiale** – ayant adopté les stratégies **prospective** et **analytique**, considérées ensemble (au total, près de la moitié de toutes les entreprises questionnées). On le sait, ces deux stratégies d'entreprises visent **l'innovation** avec des niveaux différents de **prudence**.

Toutefois, selon les chercheurs, la différence la plus importante entre les deux groupes est la suivante : parmi l'autre moitié des entreprises questionnées, environ 35 % avaient adopté une stratégie d'entreprise **défensive** dont les deux tiers étaient des entreprises de **gestion familiale**, et environ 17 % avaient adopté une stratégie d'entreprise **réactive** dont les deux tiers étaient des entreprises de **gestion professionnelle**.

Il est clair que bon nombre d'entreprises « encourent des risques » pour atteindre la croissance. Mais, il faut calculer et limiter ses risques, et prendre garde de ne pas rechercher aveuglément l'expansion des affaires, prétextant que toute entreprise **doit croître rapidement**. Nous l'avons vu, **ventes et profits ne sont pas toujours associés**. Le secret des hénokiens est simple : **haute rentabilité, grande autonomie financière et expansion modérée**. Nous sommes d'avis que la gestion de l'entreprise familiale doit favoriser la rentabilité et l'autonomie financière ; elle doit aussi, avec modération, viser la croissance. Pour ce faire, l'entreprise familiale peut s'inspirer des outils de gestion des entreprises de **gestion professionnelle**, en évitant, toutefois, d'imiter leur course, malheureusement souvent suicidaire, vers l'expansion.

LE CHOIX DU CONSEILLER EN GESTION ET DES EXPERTS EXTERNES

Ne pas décider, c'est une décision. Dans la gestion d'une entreprise familiale, en matière de planification de sa relève, décider de ne pas décider sera tôt ou tard fatal pour l'entreprise et détruira probablement l'harmonie familiale... ou ce qu'il en reste. **Il appartient à l'entrepreneur d'instaurer la démarche de la relève**, et ne pas se faire aider, c'est aussi décider de ne pas décider !

Il va sans dire que le **conseiller en gestion** retenu pour accompagner l'entrepreneur dans sa démarche de planification de sa relève doit posséder les compétences requises et avoir une solide expérience des entreprises familiales ; la communication avec celui-ci doit aussi être ouverte et agréable. Bref, l'entrepreneur doit se sentir en **confiance**. Comme le disait un entrepreneur : « Avant même d'évaluer la compétence d'un conseiller ou d'un expert, il importe de sentir sa volonté de collaborer. »

Les diverses interventions des conseillers en gestion et des experts externes sont aussi multiples que variées. On peut toutefois les regrouper selon deux catégories principales : celles qui ont pour objet le **processus**, et celles qui ont trait au **contenu**.

En matière de planification de la relève, le travail des experts externes – expert-comptable, fiscaliste, conseiller juridique, assureur – appartient à la catégorie des **interventions de contenu**. Ils interviendront à tour de rôle et en équipe ; leur collaboration est essentielle à l'établissement des divers documents techniques requis : juste valeur marchande de l'entreprise, bilan successoral, exemptions fiscales, coût des impôts au décès, assurance-vie, prévisions financières, gel successoral, modalités de remboursement de l'entrepreneur, remaniement du capital-actions, conventions, fiducies, testaments, mandats d'inaptitude, etc.

129

Toutefois, **la coordination du processus de la relève** appartient à un conseiller en gestion compétent, spécialiste des entreprises familiales ; il sera le **maître-d'œuvre** de la démarche. Il interviendra au sein de la famille et de l'entreprise. Il saura intégrer en un tout logique l'apport de chacun des experts externes. Il verra à diagnostiquer les carences de gestion de l'entreprise, et si nécessaire, à redresser certaines pratiques et implanter de bons outils de planification et de contrôle. Il assistera aussi le successeur lors de l'élaboration, en équipe, du **plan stratégique de croissance**. Surtout, le conseiller en gestion doit **aider à comprendre**, expliquer à l'entrepreneur et à sa famille le **comment et le pourquoi des choses**. C'est plus que « faire » ou « faire faire » !

Nous suggérons que l'approche préconisée par le conseiller en gestion soit celle de la **gestion du changement** dont le processus comprend trois principales questions :

- Quel est l'état actuel ?
- Quel est l'état futur recherché ?
- Quel est l'état transitoire et quelles décisions doivent être prises ?

Il faut se rappeler que les interventions du conseiller en gestion et des experts externes ont pour objectif d'assurer la **continuité** de l'entreprise familiale et d'accompagner l'entrepreneur et les héritiers lors du **changement** du leadership, de la propriété et du contrôle.

On devra persister et mettre le temps nécessaire pour atteindre les résultats visés. Le Graphique 8, tiré du livre *Le conseil en management : guide pour la profession*, publié en 1978 par l'Organisation internationale du travail, montre que le temps requis varie selon différents niveaux de changement.

130

Graphique 8

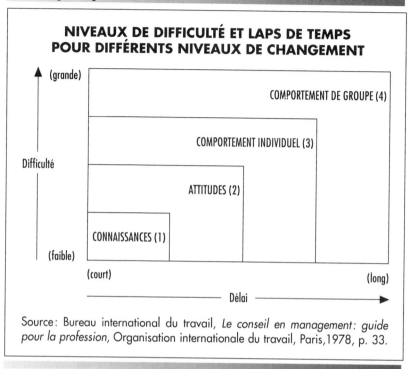

NIVEAUX DE DIFFICULTÉ ET LAPS DE TEMPS POUR DIFFÉRENTS NIVEAUX DE CHANGEMENT

Source : Bureau international du travail, *Le conseil en management : guide pour la profession*, Organisation internationale du travail, Paris, 1978, p. 33.

Les auteurs citent Hersey et Blanchard ; on y lit :

Hersey et Blanchard décrivent quatre niveaux de changement :
1) changements dans les connaissances ;
2) changements dans les attitudes ;
3) changements dans les comportements indivi-
duels ;
4) changements dans les comportements de groupe
ou dans les résultats atteints par l'organisation.
En effectuant le changement, les difficultés s'ac-
croissent lorsqu'on passe du niveau 1 au niveau 4.

De plus, nous suggérons que le conseiller en gestion fasse des interventions espacées et étalées dans le temps plutôt que quelques interventions intensives. Selon le besoin, de courtes rencontres auront lieu chaque semaine, chaque deux semaines, chaque mois. Nous sommes d'avis qu'on atteindra alors de meilleurs résultats, plus rapidement, et qui seront plus durables.

Il faut, nous croyons, éviter de vouloir tout régler en quelques discussions. Le changement doit être compris et accepté ; l'entrepreneur et les héritiers s'adapteront ainsi graduellement à la « nouvelle » situation. Il appartient au conseiller en gestion d'aider l'entrepreneur et les héritiers à former une **équipe**, favorisant la **gestion participative**.

L'entrepreneur doit porter une attention particulière au choix du conseiller en gestion et de chacun des experts externes. Ne dit-on pas : « **La qualité des conseils reçus est à la mesure de la compétence !** » Le Tableau 11 propose à l'entrepreneur de considérer plusieurs candidatures, d'identifier les critères de sélection du conseiller en gestion et de fixer son choix. Ce même tableau peut aussi, si nécessaire, être utilisé pour le choix des experts externes.

LES 5 ÉTAPES DE LA PRÉPARATION DE LA RELÈVE ET DE LA PLANIFICATION SUCCESSORALE

Nous avons vu qu'au cours de la vie de l'entrepreneur, à travers les cinq phases du cycle de vie de l'entreprise, il y a généralement, et c'est à regretter, peu de vrais efforts consacrés à la préparation de la relève et à la planification successorale. Peut-être est-ce par manque de connaissance de ce qu'il y a à faire ? Pour contrer cette difficulté, le Tableau 12 résume les principaux gestes à poser au cours de **cinq étapes** correspondant aux **cinq phases** du cycle de vie de l'entreprise. Ces étapes expliquent comment intégrer les ressources familiales dans la gestion de l'entreprise. C'est l'approche idéale que doit chercher à atteindre tout jeune

Tableau 11

LE CHOIX DU CONSEILLER EN GESTION

- Candidats rencontrés :

Conseiller   Organisation

_____   _____
_____   _____
_____   _____

- **Sélection du conseiller en gestion** (échelle : **T. I.** : très intéressant ; **M. I.** : moyennement intéressant ; **P. I.** : peu intéressant) :

Critères de sélection	Conseiller	Conseiller	Conseiller
	_____	_____	_____
• Formation			
• Expérience pertinente	_____	_____	_____
• Connaissance des entreprises familiales	_____	_____	_____
• Image, style et « chimie »	_____	_____	_____
• Réputation	_____	_____	_____
• Intégrité	_____	_____	_____
• Force de l'organisation	_____	_____	_____
• Capacité de communiquer	_____	_____	_____
• Disponibilité	_____	_____	_____
• Approche proposée	_____	_____	_____
• Honoraires demandés	_____	_____	_____

- Le conseiller exige-t-il un mandat signé ?

Oui : _____   Non : _____

- Est-il trop engageant ?   Oui : _____   Non : _____

Préciser :

_____
_____

133

- L'entrepreneur pourra-t-il reviser son choix en cours de mandat?

Oui : _____   Non : _____

Préciser :

_____

_____

- Candidat retenu :

Conseiller   Organisation

_____   _____

- Principales raisons du choix :

_____

_____

_____

---

entrepreneur ou tout successeur au fondateur. Il est clair que pour vivre ces étapes au temps voulu, il faut avoir l'âge qui y correspond.

Quant à l'entrepreneur en fin de carrière, âgé de 60, 65 ans ou plus, il ne peut revenir en arrière. Nous proposons plus loin un **échéancier** tenant compte de sa condition. Il est alors évident que les aspects reliés à la formation des héritiers et au rôle des cadres supérieurs ne peuvent être repris. Il faut partir de ce qui a été fait. Notons, cependant, qu'il n'est jamais trop tard.

L'étape 1 (de 20 à 40 ans) correspond à la période intense de l'entrepreneur. L'entreprise en croissance requiert alors la quasi-totalité de ses énergies. Au cours de cette période, celui-ci doit quand même trouver le temps d'**être en famille**, d'encourager ses héritiers à recevoir une bonne formation et de les renseigner sur la vie en affaires. Il lui faut bâtir son **clan familial**.

Tableau 12

LES 5 ÉTAPES DE LA PRÉPARATION DE LA RELÈVE ET DE LA PLANIFICATION SUCCESSORALE

ÉTAPE 1 (20 À 40 ANS)

- Enseigner aux héritiers les joies et les peines de la propriété et de la gestion d'une entreprise ;
- Discuter de l'histoire et des valeurs, croyances et traditions de la famille et de l'entreprise ; chercher à développer une vision commune ;
- Consacrer du temps à la famille et avoir des intérêts et des loisirs en famille hors de l'entreprise ; bâtir son clan familial ;
- Inciter les héritiers à acquérir une bonne formation.

ÉTAPE 2 (40 À 50 ANS)

- Encourager les héritiers à acquérir une expérience extérieure de 3 à 5 ans ;
- Appliquer des normes claires d'embauche des cadres supérieurs, membres de la famille ou non ; expliquer clairement les attentes et les règles ; exiger que les héritiers respectent les règles établies ;
- Avoir un plan de carrière pour les héritiers qui souhaitent travailler dans l'entreprise ; prévoir leur rôle futur de dirigeants et de copropriétaires ;
- S'assurer que les cadres supérieurs, non membres de la famille, comprennent et acceptent leur responsabilité de former les héritiers ;
- Faire débuter les héritiers à leur niveau actuel de compétence (les impressions durables viennent des expériences vécues durant les premières années) ;
- Demander aux héritiers d'accomplir un vrai travail, évalué selon des normes réelles et leur donner un *feed-back* honnête ;
- Créer un conseil de famille pour favoriser la communication entre les héritiers, les aider dans leur formation, les informer et les préparer à devenir propriétaires de l'entreprise ;

- Créer un conseil d'administration ou un comité de gestion composé d'individus capables vraiment de remplir leur rôle et correspondant aux besoins stratégiques de l'entreprise.

ÉTAPE 3 (50 À 60 ANS)

- Accepter de partager ses pouvoirs et ses responsabilités ; faire confiance à ses héritiers ;

- Donner aux héritiers des responsabilités d'autorité comportant des occasions réelles de succès ;

- Avoir des plans de formation pour les cadres supérieurs, membres de la famille ou non ;

- Tenir des rencontres régulières du conseil de famille, amener les héritiers à prendre conscience des responsabilités rattachées à la propriété et la gestion de l'entreprise et développer leur engagement et leur loyauté envers la famille et l'entreprise ;

- Discuter lors des réunions du conseil de famille de la préparation de la relève et de la planification successorale ;

- Faire participer, à titre d'observateur, l'héritier qui préside le conseil de famille aux réunions du conseil d'administration ou du comité de gestion ;

- Tenir des rencontres régulières du conseil d'administration ou du comité de gestion ; analyser et approuver le plan stratégique de croissance de l'entreprise ;

- Tenir dans l'entreprise des rencontres régulières (hebdomadaires, mensuelles et annuelles) sur tous les aspects de la gestion auxquelles participent les héritiers qui occupent des postes de cadres supérieurs et les cadres supérieurs non membres de la famille ; favoriser la gestion participative ;

- Obtenir des cadres supérieurs, non membres de la famille, des évaluations régulières du rendement des héritiers ; si nécessaire, obtenir des évaluations de la part des membres du conseil d'administration ou comité de gestion ;

- Se départir des héritiers qui ne répondent pas aux attentes après quatre à six années (ce ne sera jamais facile) et les aider à réussir dans une autre carrière ;

- Établir la modalité de partage entre les héritiers de la propriété de l'entreprise ;
- Établir les critères de sélection du successeur et identifier, parmi les héritiers, celle ou celui qui deviendra le prochain directeur général ;
- Établir les modalités de transition du leadership, de la propriété et du contrôle ;
- Établir un échéancier pour la transition du leadership, de la propriété et du contrôle ;
- Obtenir du successeur son plan stratégique de croissance ;
- Développer un plan de relève de remplacement à adopter si l'héritier choisi ne peut agir comme directeur général ;
- Établir la juste valeur marchande de l'entreprise et évaluer les conséquences fiscales de la transition de l'entreprise ;
- Élaborer la structure et les conventions juridiques appropriées, produire les divers documents financiers, fiscaux et légaux requis et évaluer les besoins d'assurance-vie ;
- Avoir des intérêts et des échanges familiaux hors de l'entreprise ;
- Commencer à s'intéresser à des loisirs et avoir des occupations hors de l'entreprise (entrepreneur et son conjoint).

ÉTAPE 4 (60 À 65 ANS)

- Gérer l'entreprise en tandem (cohabitation de l'entrepreneur et du successeur) ;
- Établir les rôles, pouvoirs et responsabilités de chacun ;
- Tenir des réunions du conseil de famille et limiter les discussions aux aspects définis ;
- Assister les cadres supérieurs non membres de la famille, lors de la transition du leadership, de la propriété et du contrôle ;
- Encourager le successeur et les héritiers à l'emploi de l'entreprise à développer des stratégies de croissance de l'entreprise ; viser à accroître la rentabilité et à maintenir l'autonomie financière.

- Établir les besoins financiers et les revenus de l'entrepreneur et de son conjoint, à la retraite.

ÉTAPE 5 (65 ANS ET PLUS)

- S'assurer que les héritiers à l'emploi de l'entreprise respectent leurs engagements envers la famille et l'entreprise ;
- Évaluer la performance du nouveau directeur général selon les critères établis par le conseil d'administration ou le comité de gestion ;
- S'assurer que le conseil de famille et le conseil d'administration ou le comité de gestion continuent de se réunir périodiquement et sur demande ;
- Reprendre le processus de préparation de la relève et de planification successorale avec les héritiers des héritiers ;
- Encourager les parents à « s'occuper » à d'autres activités d'affaires ou de loisir, hors de l'entreprise.

L'étape 2 (de 40 à 50 ans) est caractérisée par l'arrivée des héritiers sur le marché du travail. Il est souhaitable de les inciter à acquérir une expérience hors de l'entreprise, de ne les embaucher que s'ils ont les compétences requises, de leur demander un vrai travail, de s'assurer que les cadres supérieurs les assistent dans leur formation et de prévoir leur carrière dans l'entreprise.

On crée un conseil de famille, où les héritiers se regroupent, ainsi qu'un conseil d'administration qui appuie l'entrepreneur dans la gestion et qui facilitera la transition du leadership. Si l'entreprise est une PME, le conseil d'administration peut être remplacé par un comité de gestion réunissant le conseiller en gestion, un cadre supérieur et un entrepreneur (nous parlons ici d'une instance qui conseille l'entrepreneur dans ses décisions et non pas du conseil d'administration requis par la loi si la PME est incorporée). Dans la plus petite entreprise, le comité de gestion peut être composé d'un cadre supérieur et du conseiller en gestion.

L'étape 3 (de 50 à 60 ans) correspond à la période où des héritiers occupent des postes de cadres supérieurs dans l'entreprise. On évalue régulièrement le travail des héritiers et on leur donne un *feed-back* honnête. On encourage ceux qui sont performants et on invite les autres à considérer une carrière hors de l'entreprise. On doit aussi planifier l'avenir des cadres supérieurs non membres de la famille.

Le conseil de famille se réunit régulièrement ; on établit la modalité de partage entre les héritiers de la propriété de l'entreprise, et on identifie le successeur. On définit les modalités de transition de l'entreprise et on élabore la structure et les conventions juridiques. Le successeur propose un plan stratégique de croissance. On établit un échéancier pour la transition du leadership. Ensuite, l'entrepreneur et les héritiers signent les documents légaux requis. L'entrepreneur commence alors à développer d'autres intérêts.

L'étape 4 (de 60 à 65 ans) est celle de la cohabitation de l'entrepreneur et de son successeur. C'est la période où l'entrepreneur et son successeur gèrent l'entreprise en **tandem**. Le conseil de famille et le conseil d'administration ou le comité de gestion se réunissent régulièrement et sur demande, selon les situations. Le successeur implante le plan de croissance et cherche à accroître la rentabilité de l'entreprise familiale et à maintenir son autonomie financière.

L'étape 5 (65 ans et plus) correspond à la période où l'entrepreneur s'est retiré de l'entreprise. Son successeur est bien en poste. Il travaille déjà à préparer sa relève et à planifier sa succession. Le conseil de famille suit la gestion de l'entreprise et le conseil d'administration ou le comité de gestion évalue la performance du directeur général et le conseille sur ses projets.

LES GESTES À POSER

Les gestes à poser au cours des cinq étapes ont pour objectif d'en arriver à gérer la dimension familiale de l'entreprise par l'**éducation de ses héritiers** – futurs dirigeants et copropriétaires de l'entreprise – et la création d'un **conseil de famille** – dont nous parlerons plus en détail dans les pages suivantes –, à gérer l'entreprise par la création d'un **conseil d'administration** ou d'un **comité de gestion** – dont nous discuterons également plus loin – et à coordonner la gestion de l'entreprise en considérant le **rôle des héritiers** dans l'entreprise, la **collaboration des cadres supérieurs** et la **transition du leadership**. Les gestes à poser invitent aussi l'entrepreneur à **préparer sa retraite**.

Quant à l'éducation des héritiers

Nous l'avons dit : « **Un père représente plus de cent professeurs**. » Il lui faut trouver le temps d'enseigner à ses héritiers les comportements d'un gestionnaire à succès. Voici ce qui est suggéré :

- Enseigner aux héritiers les joies et les peines de la propriété et de la gestion d'une entreprise ;
- Discuter de l'histoire et des valeurs, croyances et traditions de la famille et de l'entreprise ; chercher à développer une vision commune ;
- Consacrer du temps à la famille et avoir des intérêts et des loisirs en famille hors de l'entreprise ; bâtir son clan familial ;
- Inciter les héritiers à acquérir une bonne formation.

Il faut aussi « rendre à César ce qui est à César » et reconnaître le rôle essentiel des conjoints dans l'éducation des enfants. D.E. Michel et M. Michel, dans leur livre *Gérer l'entreprise familiale : objectif longue durée*, écrivent :

> *Désolé, messieurs, il faut se rendre à l'évidence, le prince de Ligne avait raison : les femmes font non seulement les mœurs, mais aussi les hommes.*
>
> *Les grands hommes dont on a gardé la mémoire ont rarement eu des femmes médiocres.*

Quant au conseil de famille

Regroupons les gestes à poser progressivement au cours des cinq étapes quant au **conseil de famille** dont le rôle est discuté plus en détail dans les pages qui suivent :

- Créer un conseil de famille pour favoriser la communication entre les héritiers, les aider dans leur formation, les informer et les préparer à devenir propriétaires de l'entreprise ;

- Tenir des rencontres régulières du conseil de famille, amener les héritiers à prendre conscience des responsabilités rattachées à la propriété et à la gestion de l'entreprise et développer leur engagement et leur loyauté envers la famille et l'entreprise ;

- Discuter, lors des réunions du conseil de famille, de la préparation de la relève et de la planification successorale ;

- Faire participer, à titre d'observateur, l'héritier qui préside le conseil de famille aux réunions du conseil d'administration ou du comité de gestion ;

- Tenir des réunions du conseil de famille et limiter les discussions aux aspects définis ;

141

- S'assurer que le conseil de famille et le conseil d'administration ou le comité de gestion continuent de se réunir périodiquement et sur demande.

Quant au conseil d'administration ou au comité de gestion

Nous parlerons plus loin du rôle du conseil d'administration ou du comité de gestion, mais regroupons pour l'instant les gestes que les cinq étapes proposent de poser progressivement en ce qui concerne le **conseil d'administration** ou le **comité de gestion** :

- Créer un conseil d'administration ou un comité de gestion composé d'individus capables vraiment de remplir leur rôle et correspondant aux besoins stratégiques de l'entreprise ;

- Faire participer, à titre d'observateur, l'héritier qui préside le conseil de famille aux réunions du conseil d'administration ou du comité de gestion ;

- Tenir des rencontres régulières du conseil d'administration ou du comité de gestion ; analyser et approuver le plan stratégique de croissance de l'entreprise ;

- Obtenir des cadres supérieurs, non membres de la famille, des évaluations régulières du rendement des héritiers ; si nécessaire, obtenir des évaluations de la part des membres du conseil d'administration ou du comité de gestion ;

- Évaluer la performance du nouveau directeur général selon les critères établis par le conseil d'administration ou le comité de gestion ;

- S'assurer que le conseil de famille et le conseil d'administration ou le comité de gestion continuent de se réunir périodiquement et sur demande.

La structure et les conventions juridiques devront régir les interactions au sein de la famille, entre la famille et l'entreprise et au sein de l'entreprise. On comprend déjà que les créations d'un conseil de famille et d'un conseil d'administration ou d'un comité de gestion sont le point de départ. La structure et les conventions juridiques dont nous parlerons plus loin expliciteront les règles à convenir.

Quant au rôle des héritiers

Il faut faire beaucoup plus que d'inviter les héritiers à se joindre à l'entreprise familiale : « Viens travailler avec moi. Je te trouverai quelque chose à faire. On s'arrangera. » Voyons ce que proposent spécifiquement les cinq étapes pour en arriver à préparer et planifier le **rôle des héritiers** dans l'entreprise :

- Discuter de l'histoire et des valeurs, croyances et traditions de la famille et de l'entreprise ; chercher à développer une vision commune ;
- Inciter les héritiers à acquérir une bonne formation ;
- Encourager les héritiers à acquérir une expérience extérieure de 3 à 5 ans ;
- Appliquer des normes claires d'embauche des cadres supérieurs, membres de la famille ou non ; expliquer clairement les attentes et les règles ; exiger que les héritiers respectent les règles établies ;
- Avoir un plan de carrière pour les héritiers qui souhaitent travailler dans l'entreprise ; prévoir leur rôle futur de dirigeants et de copropriétaires ;
- Faire débuter les héritiers à leur niveau actuel de compétence (les impressions durables viennent des expériences vécues durant les premières années) ;

143

- Demander aux héritiers d'accomplir un vrai travail, évalué selon des normes réelles et leur donner un *feed-back* honnête ;

- Accepter de partager ses pouvoirs et ses responsabilités ; faire confiance à ses héritiers ;

- Donner aux héritiers des responsabilités d'autorité comportant des occasions réelles de succès ;

- Avoir des plans de formation pour les cadres supérieurs, membres de la famille ou non ;

- Tenir dans l'entreprise des rencontres régulières sur tous les aspects de la gestion auxquelles participent les héritiers qui occupent des postes de cadres supérieurs et les cadres supérieurs, non membres de la famille ; favoriser la gestion participative ;

- Obtenir des cadres supérieurs non membres de la famille des évaluations régulières du rendement des héritiers ; si nécessaire, obtenir des évaluations de la part des membres du conseil d'administration ou du comité de gestion ;

- Se départir des héritiers qui ne répondent pas aux attentes après quatre à six années (ce ne sera jamais facile) et les aider à réussir dans une autre carrière ;

- Encourager le successeur et les héritiers à l'emploi de l'entreprise à développer des stratégies de croissance de l'entreprise ; viser à accroître la rentabilité et à maintenir l'autonomie financière ;

- S'assurer que les héritiers à l'emploi de l'entreprise respectent leur engagement envers la famille et l'entreprise.

Les gestes à poser pour intégrer les héritiers dans l'entreprise familiale sont clairs : **formation, expé-**

rience, normes d'embauche, plans de carrière, compétence, responsabilités, participation, évaluations du rendement, remerciements, stratégies de croissance et **respect des engagements**. C'est plus que «viens travailler avec moi». C'est «voici ce qui est requis pour travailler dans l'entreprise familiale ; voici ce à quoi je m'attends de toi ; voici comment je mesurerai ton travail ; voici comment je réagirai». C'est aussi «voici ce que je ferai pour t'aider». À ce titre, les cinq étapes proposent de préparer et de planifier la **collaboration des cadres supérieurs** :

Quant aux cadres supérieurs

Il importe aussi, dans la plus grande entreprise familiale, de se préoccuper du rôle des **cadres supérieurs**. Voyons ce que suggèrent les cinq étapes :

- Appliquer des normes claires d'embauche des cadres supérieurs, membres de la famille ou non ; expliquer clairement les attentes et les règles ; exiger que les héritiers respectent les règles établies ;
- S'assurer que les cadres supérieurs, non membres de la famille, comprennent et acceptent leur responsabilité de former les héritiers ;
- Avoir des plans de formation pour les cadres supérieurs, membres de la famille ou non ;
- Tenir dans l'entreprise des rencontres régulières sur tous les aspects de la gestion auxquelles participent les héritiers qui occupent des postes de cadres supérieurs et les cadres supérieurs non membres de la famille ; favoriser la gestion participative ;
- Obtenir des cadres supérieurs, non membres de la famille, des évaluations régulières du rendement des héritiers ; si nécessaire, obtenir des évaluations de la part des membres du

145

conseil d'administration ou du comité de gestion ;

- Assister les cadres supérieurs, non membres de la famille, lors de la transition du leadership, de la propriété et du contrôle.

Quant à la transition du leadership

Regardons aussi de plus près ce que proposent les cinq étapes quant à la préparation et à la planification de la **transition du leadership** :

- Établir la modalité de partage entre les héritiers de la propriété de l'entreprise ;
- Établir les critères de sélection du successeur et identifier, parmi les héritiers, celle ou celui qui deviendra le prochain directeur général ;
- Établir les modalités de transition du leadership, de la propriété et du contrôle ;
- Établir un échéancier pour la transition du leadership, de la propriété et du contrôle ;
- Obtenir du successeur son plan stratégique de croissance ;
- Développer un plan de relève de remplacement à adopter si l'héritier choisi ne peut agir comme directeur général ;
- Établir la juste valeur marchande de l'entreprise et évaluer les conséquences fiscales de la transition de l'entreprise ;
- Élaborer la structure et les conventions juridiques appropriées, produire les divers documents financiers, fiscaux et légaux requis et évaluer les besoins d'assurance-vie ;
- Gérer l'entreprise en tandem (cohabitation de l'entrepreneur et du successeur) ;
- Établir les rôles, pouvoirs et responsabilités de chacun ;

- Évaluer la performance du nouveau directeur général selon les critères établis par le conseil d'administration ou le comité de gestion ;

- S'assurer que le conseil de famille et le conseil d'administration ou le comité de gestion continuent de se réunir périodiquement et sur demande ;

- Reprendre le processus de préparation de la relève et de planification successorale avec les héritiers des héritiers.

Ainsi, la transition du leadership requiert de définir la modalité de partage entre les héritiers de la propriété de l'entreprise, les critères de sélection du successeur, et les modalités de transition du leadership, de la propriété et du contrôle. Par la suite, on établira un **échéancier** du processus de la transition du leadership.

Quant à la préparation de sa retraite

L'entrepreneur doit préparer sa retraite ; nous en parlerons aussi plus loin. Néanmoins, voyons ce que suggèrent les cinq étapes quant à la **préparation de la retraite** de l'entrepreneur :

- Accepter de partager ses pouvoirs et ses responsabilités ; faire confiance à ses héritiers ;

- Avoir des intérêts et des échanges familiaux hors de l'entreprise ;

- Commencer à s'intéresser à des loisirs et avoir des occupations hors de l'entreprise (entrepreneur et son conjoint) ;

- Gérer l'entreprise en tandem (cohabitation de l'entrepreneur et du successeur) ;

- Établir les rôles, pouvoirs et responsabilités de chacun ;

- Établir les besoins financiers et les revenus de l'entrepreneur et son conjoint, à la retraite ;
- Encourager les parents à « s'occuper » à d'autres activités d'affaires et de loisirs, hors de l'entreprise.

Agir au bon moment

On doit tenir compte de la qualité de la communication entre l'entrepreneur et son successeur afin d'agir au bon moment, lorsque les relations sont propices. Bien que chaque situation soit particulière, les chercheurs américains J. Davis et R. Tagiuri ont publié dans le *Family Business Review* du printemps 1989, un article intitulé « The Influence of Life Stages on Father-Son Work Relationships », dans lequel ils évaluent la qualité des relations père-fils selon l'âge de chacun ; le Graphique 9 illustre les résultats obtenus.

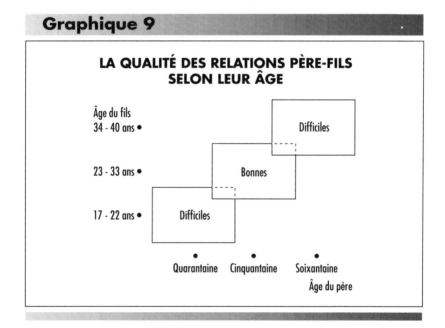

Graphique 9

LA QUALITÉ DES RELATIONS PÈRE-FILS SELON LEUR ÂGE

Ils ont noté que les relations père-fils sont généralement favorables lorsque l'entrepreneur est entre la fin de la quarantaine et le début de la soixantaine ; avant et après, elles ont tendance à être plus difficiles. Ce sont, bien sûr, des résultats généraux qui peuvent ne pas s'appliquer à des situations particulières. Quoi qu'il en soit, nous suggérons que la formation et l'intégration des héritiers dans l'entreprise s'effectuent essentiellement au cours des étapes 2 (40 à 50 ans) et 3 (50 à 60 ans). À la fin de l'étape 3, on procédera à la transition du leadership. Il s'ensuivra une période, étape 4 (60 à 65 ans), où l'entrepreneur et son successeur géreront l'entreprise en **tandem**.

Il est évident que l'entrepreneur peut agir plus tôt s'il le souhaite et si la situation s'y prête. Par ailleurs, la gestion en tandem de l'entreprise peut être de courte durée, une ou deux années, selon les souhaits de l'entrepreneur et la compétence du successeur.

Nous suggérons à l'entrepreneur de ne pas agir trop tard. D'une part, comment envisager sa retraite si l'on a donné toutes **ses bonnes années** à l'entreprise ? L'entrepreneur doit se garder du temps et des énergies pour d'autres activités d'affaires et de loisirs. D'autre part, il faut laisser au successeur et aux héritiers à l'emploi de l'entreprise, plus jeunes et plus entreprenants, le soin de **relancer** l'entreprise familiale durant les années où leur dynamisme, leur énergie et leur expérience culminent. Et comme nous le faisait remarquer un entrepreneur : « **Mieux vaut déléguer que léguer**. »

Quoi qu'il en soit, le successeur doit préparer, en équipe, un plan stratégique de croissance de l'entreprise, et ce, avant la transition du leadership (fin de l'étape 3). Nous expliquons, au chapitre 6, le processus de la **planification stratégique** de l'entreprise familiale. Le successeur se doit de faire connaître ses couleurs, tant à l'intention de l'entrepreneur que des héritiers, car sa performance en tant que dirigeant d'entreprise en affectera la rentabilité et aura un impact sur l'avoir et les revenus des autres héritiers. Par ailleurs, l'entrepreneur doit accepter, voire encourager, les efforts de sa relève vers la croissance. Et ce n'est pas toujours facile.

Dans une entrevue avec Ronnie Léveillé, président de Léveillé Stores Vénitiens, Le magazine *PME* de décembre-janvier 1992 citait :

> *Conservateur de nature, papa s'arrachait les cheveux devant les « projets de grandeur » de son fils. Autant de dépenses vont mener l'entreprise au bord du gouffre, prédisait-il... La prédiction de « papa » ne s'est fort heureusement jamais réalisée. Au contraire. Sous la présidence de son fils, Ronnie Léveillé, la PME emménage dans un local 5 fois plus grand, grimpe à 25 employés et à un chiffre d'affaires de 2,5 millions de dollars. En 1988, elle accueille la troisième génération de Léveillé.*

Que faire si aucun héritier n'est apte à prendre la relève ? Doit-on faire appel à un gestionnaire externe temporaire ? L'entrepreneur doit-il attendre ? Nous pensons qu'il doit quand même, dans tous les cas, organiser la transition du leadership ; il lui faut absolument prévoir qui le remplacera et le moment de cette transition. Plus encore, l'entrepreneur devra avoir envisagé un autre plan de relève si l'héritier choisi ne peut agir.

L'entrepreneur en fin de carrière

Hélas, l'entrepreneur qui en est à sa retraite ne peut revenir en arrière. On doit alors agir en peu de temps pour effectuer la transition du leadership. Il n'est jamais trop tard, et mieux vaut agir que réagir. Le Tableau 13 présente un échéancier du processus à suivre. Nous

Tableau 13

L'ÉCHÉANCIER DE SON PLAN DE RELÈVE	
Étapes	**Période de temps alloué**
• Choix du conseiller en gestion et des experts externes	_____
• Analyse des considérations familiales :	
• Souhaits et opinion de l'entrepreneur	_____
• Intérêts, attentes, besoins, capacités, souhaits et opinion de chaque héritier	_____
• Valeurs, croyances et vision du clan familial	_____
• Mésententes familiales	_____
• Création du conseil de famille	_____
• Création du conseil d'administration ou du comité de gestion	_____
• Évaluation des besoins financiers et des revenus de l'entrepreneur et de son conjoint à la retraite	_____
• Choix d'une modalité de partage et sélection du successeur	_____
• Choix des modalités de transition	
• Du leadership	_____
• De la propriété	_____
• Du contrôle	_____
• Élaboration du plan stratégique de croissance de l'entreprise et révision des outils de gestion	_____
• Rôle, pouvoirs et responsabilités de l'entrepreneur, du successeur, des héritiers à l'emploi de l'entreprise et des cadres supérieurs	_____
• Préparation des documents techniques :	
• Juste valeur marchande de l'entreprise	_____
• Bilan successoral	_____
• Exemptions fiscales et coût des impôts au décès	_____
• Assurance-vie	_____

151

Étapes	Période de temps alloué

• Prévisions financières
• Gel successoral : remaniement du capital-action, modalités de remboursement de l'entrepreneur, fiducies, etc.
• Conventions
• Testaments et mandats d'inaptitude
• Évaluation, révision et approbation du plan stratégique de croissance :
  • Par l'entrepreneur
  • Par le conseil de famille
  • Par le conseil d'administration ou le comité de gestion
• Discussion et signature des actes juridiques
• Transition du leadership :
  • Nomination du successeur
  • Implantation du plan stratégique de croissance
  • Période de cohabitation – entrepreneur et successeur
• Évaluation de la performance du successeur et des héritiers à l'emploi de l'entreprise
• Retrait de l'entrepreneur de l'entreprise
• Suivi par le conseiller en gestion (rencontres avec l'entrepreneur, le successeur, le conseil de famille, le conseil d'administration ou le comité de gestion, etc.)
	_____
	
	_____
	_____
	_____
	
	_____
	_____
	
	_____
	_____
	
	_____
	_____
	
	_____
	
	_____
	_____
	
	_____

l'avons développé pour le compte de la Banque fédérale de développement ; il est distribué lors de ses séminaires sur l'entreprise familiale.

Dans un premier temps, le **conseiller** retenu discute avec l'entrepreneur afin de connaître ses souhaits et son opinion et pour l'aider dans sa démarche. Ensuite, il rencontre individuellement les héritiers afin de connaître leurs intérêts, attentes, besoins, capacités, souhaits et opinions.

Il rencontre aussi les héritiers en groupe – conseil de famille – afin de discuter des valeurs et des croyances du **clan familial**, régler toute mésentente et bâtir une vision commune. Il collabore à la création du conseil d'administration ou du comité de gestion. Il importe aussi d'évaluer les besoins financiers et les revenus de l'entrepreneur et de son conjoint à la retraite.

On établit ensuite la modalité de partage de la propriété de l'entreprise entre les héritiers et on sélectionne le successeur selon les critères définis. Vient ensuite l'établissement des modalités de transition du leadership, de la propriété et du contrôle.

Le conseiller en gestion assiste aussi le successeur dans l'élaboration de son plan stratégique de croissance, la révision des outils de gestion et la définition des rôles, pouvoirs et responsabilités de chacun. Les experts externes collaborent à la préparation des divers documents techniques – financiers, fiscaux et juridiques – requis.

Le plan stratégique de croissance est analysé et approuvé, les actes juridiques sont signés ; il s'ensuivra une période de cohabitation – entrepreneur et successeur. Le conseiller en gestion effectuera un suivi auprès de l'entrepreneur, du successeur, du conseil de famille et du conseil d'administration ou du comité de gestion.

Selon les souhaits de l'entrepreneur, la compétence du successeur et la santé de l'entreprise, il s'ensuivra soit une période de **gestion en tandem de l'entreprise**, soit le **retrait** de l'entrepreneur.

153

Nous avons récemment travaillé avec une PME familiale. Fréquemment, le père disait à ses trois enfants : « Un jour, ce sera votre entreprise. » L'entrepreneur déléguait peu de vraies responsabilités, et aucun échéancier de la transition du leadership ne fut établi. L'entrepreneur est décédé subitement à l'âge de 55 ans ; son testament stipulait au dernier vivant les biens et l'entreprise devint la propriété de sa veuve.

Lorsque nous l'avons rencontrée, elle était en larmes ; elle ne voulait pas de l'entreprise et trouvait injuste que ses enfants n'en soient pas les propriétaires. Bien sûr, elle connaissait le testament de son mari ; mais elle n'avait pas imaginé... Les enfants étaient déçus et certains remettaient en question leur rôle dans l'entreprise.

Nous avons alors établi un échéancier pour la transition du leadership de la mère aux enfants, s'échelonnant sur une période d'une année. Un climat familial serein, le désir d'agir rapidement, l'expertise des enfants et la santé financière de l'entreprise étaient propices. Les enfants vivent aujourd'hui la croissance de l'entreprise selon le plan établi et leur mère a retrouvé progressivement le mode de vie antérieur à la prise en charge de l'entreprise. Elle est heureuse de travailler pour ses enfants sans devoir assumer la responsabilité de la gestion de l'entreprise. Elle nous disait : « Je n'aurais jamais su y arriver seule. J'étais perdue. J'en ai quelquefois voulu à mon mari. »

Préparer sa retraite

La Banque Royale dans sa série *Affaires d'argent* publie une brochure intitulée *La Retraite*. On y lit :

> *Plus on réfléchit à l'avance aux activités que l'on veut vraiment entreprendre à la retraite, plus on a de chances de réaliser ses aspirations. Même si vous êtes encore loin de la retraite, réservez-vous*

du temps pour vous adapter aux changements qui se produiront lorsque vous quitterez la vie active et aborderez cette nouvelle étape de votre vie où vous déciderez de votre emploi du temps.

La planification de la retraite revêt une importance particulière pour les travailleurs autonomes : propriétaires de PME, membres des professions libérales, agriculteurs. Occupés à faire tourner leur affaire, les chefs d'entreprise peuvent avoir tendance à remettre à plus tard la planification de cette inévitable étape de leur vie. Bien entendu, il est essentiel qu'il y ait une certaine continuité dans la direction, pour que l'entreprise continue à être rentable ou puisse être vendue un jour. Si vous êtes travailleur autonome et que vous n'avez pas sérieusement réfléchi à votre retraite ou à ce que deviendra votre entreprise après votre départ, le temps est venu d'y penser.

Si l'entrepreneur n'a aucun autre intérêt que l'entreprise, il lui faut apprivoiser d'autres activités d'affaires ou de loisirs, pour éviter d'éternels retours à son entreprise. Il faut y parvenir. André Giroux n'a-t-il pas écrit :

L'âge n'est pas une question de rides plus ou moins profondes, de cheveux plus ou moins blancs. L'âge est une question de foi, d'espérance, d'amour, une question de disponibilité ; le temps ne marque pas les êtres constamment à l'affût de la vie.

Plusieurs copropriétaires

Lorsque plusieurs individus sont copropriétaires de l'entreprise, soient-ils membres d'une même famille ou non, lorsque, par exemple, le couple est en affaires, il est évident que la gestion de l'entreprise, la préparation de la relève et la planification successorale sont des

155

préoccupations plus délicates. Dans son livre *In Love and in Business*, publié en 1986, l'auteure Sharon Nelton a identifié des facteurs de succès ; nous les résumons en nos mots :

- Notre mariage et les enfants sont notre première préoccupation ;
- Chaque conjoint se respecte mutuellement ;
- La communication est ouverte et facile ;
- Les partenaires se complimentent sur leurs capacités et leurs attitudes respectives ;
- Les partenaires s'entraident mutuellement ;
- La famille est unie ;
- Les partenaires ne se concurrencent pas l'un l'autre ;
- Les partenaires aiment s'amuser.

Mission familiale, respect mutuel, communication, encouragements, esprit d'équipe et loisirs, voilà en quelques mots la philosophie du couple gagnant. Si ces valeurs et croyances amènent le succès du couple en affaires, ces mêmes valeurs et croyances sont essentielles à tout groupe, frères, sœurs ou même étrangers en affaires.

La communion des valeurs et croyances du groupe favorise son harmonie et sa cohésion. On évite ainsi de toujours « retourner en arrière ». On n'en sera plus à toujours déterminer **quoi** faire, **quand** le faire, **qui** doit le faire et **comment** le faire : **on en sera à l'action**. Car il est vital, pour toute entreprise, surtout la PME, d'agir et de réagir vite aux fluctuations économiques, à la concurrence, à un nouveau marché, à un projet d'expansion, à une baisse du chiffre d'affaires, à la perte d'un client important, au départ d'un associé, d'un cadre supérieur, à une perte d'exploitation ou à toute autre occasion ou situation difficile.

Les prêteurs, les investisseurs, les fournisseurs et les clients

Il n'y a pas que les héritiers et les cadres supérieurs de l'entreprise qui sont concernés par la gestion de l'entreprise familiale, par la préparation de la relève et la planification successorale de l'entrepreneur, il y a aussi les prêteurs, les investisseurs, les fournisseurs et les clients.

Le *Family Business Review* publiait en été 1989 un article intitulé : «The Loan Officer's Perspective on Family Firms». Barbara S. Hollander y résume les propos d'une entrevue avec A. William Schenk, vice-président de la banque américaine Pittsburg National Bank (PNB), on y lit :

> *Il est important que les banques soient informées du plan de relève du client et l'acceptent. [...] les banques prêtent d'abord aux individus, et non aux entreprises. Si un entrepreneur décède subitement et que le prêteur voit d'un mauvais œil le choix du successeur, le prêteur pourrait retirer ses prêts et créer ainsi une crise financière dans l'entreprise familiale.*

Nous pensons à cette PME familiale où nous sommes intervenus quelques jours après le décès de l'entrepreneur. Aucun membre de la famille n'avait averti le banquier du décès de l'entrepreneur. Lorsqu'il en fut informé, le banquier exigea sur-le-champ le remboursement complet de ses avances de fonds. Il faut savoir que l'entrepreneur avait donné en garantie son endossement personnel et une police d'assurance-vie. Ces garanties liaient ses ayants droit et la veuve risquait de se retrouver sans le sous.

Après de difficiles négociations, on a convaincu le banquier de laisser les fils vendre les stocks et les équipements. Il fallut une période de quatre mois pour rembourser les prêts et obtenir du banquier le chèque émis

157

par la compagnie d'assurances qu'il détenait. La veuve a pu encaisser le chèque et aussi conserver la maison familiale et les autres biens de l'entrepreneur que le banquier menaçait de saisir.

Les investisseurs apprécieront aussi de connaître le plan de relève de la grande entreprise familiale qui a émis des actions en Bourse. Michel Perreault, analyste financier renommé tant au Québec qu'au Canada, de la maison RBC Dominion valeurs mobilières inc., explique :

Expliquer son plan de relève, c'est faire savoir qu'on se préoccupe de l'avenir. Malheureusement, peu d'entreprises publiques communiquent ces renseignements pourtant importants. Les investisseurs se sentiront plus confiants dans la stabilité future de l'entreprise s'ils sont informés du choix du successeur et de ce qu'il adviendra des actions de contrôle au décès du dirigeant, actionnaire principal.

De même, les clients et les fournisseurs voudront s'assurer, pour les uns, que leurs commandes seront respectées, pour les autres, de percevoir leurs créances. On pourra informer les prêteurs, les investisseurs, les fournisseurs et les clients du processus de transition du leadership afin d'éliminer toute inquiétude.

Éviter les conflits ou les régler

L'entreprise familiale, comme toute entreprise, vivra des situations d'affaires difficiles. Comment éviter que le stress de la situation entraîne des conflits entre les membres de la famille ? Voici quelques moyens d'y arriver :

- **Agir selon un plan connu**. Nous avons expliqué que le successeur verra à établir un plan stratégique de croissance qui sera accepté par les membres du conseil d'administration ou le comité de gestion. Les héritiers doivent aussi y contribuer et l'accepter, donnant ainsi à l'entreprise les moyens de vivre sa croissance tout en reconnaissant qu'il y a des risques d'échec.

- **Ne pas blâmer les autres**. Les reproches adressés à l'entrepreneur, au successeur, à des héritiers ou aux cadres supérieurs sont inutiles ; ils concentrent les échanges sur les agissements individuels et empêchent de s'attaquer au problème et de passer à l'action. Ne faire que des reproches, c'est être soi-même une source de mésentente. Il ne faut concentrer aucune énergie à trouver un coupable... Toute l'attention doit porter sur la recherche de solutions et d'occasions de succès.

- **Offrir son aide**. Face à une situation difficile, l'entreprise familiale profitera de l'apport de chacun. Car chacun peut être partie de la solution, du moins par sa compréhension et ses encouragements.

- **Travailler en équipe**. Tous les cadres supérieurs, membres de la famille ou non, doivent collaborer en une seule équipe à la mission de l'entreprise familiale, et non pas être divisés en clans qui se concurrencent. « L'union fait la force. » Il incombe à l'entrepreneur ou à son successeur de rallier toutes les ressources et de se départir de ceux qui ne répondent pas aux attentes.

- **Fournir l'information**. Toute information sur la gestion et la performance de l'entreprise doit être accessible aux héritiers. Il est essentiel d'éviter les surprises et de ne jamais placer la famille devant le fait accompli.

- **Faire la part des choses**. Les discussions d'affaires se feront dans l'entreprise, et les considérations familiales en famille.

- **Savoir décider**. Il y aura des décisions à prendre. Certaines concerneront la famille. Certaines seront des décisions d'affaires. Décider de ne pas décider, c'est décider de ne rien faire. Il existe des techniques rationnelles d'analyse des problèmes et de prise de décisions qui peuvent aider.

- **Se faire aider**. Un conseiller compétent saura proposer des méthodes de travail et des stratégies efficaces. Toute entreprise familiale doit s'assurer l'aide d'un conseiller capable de comprendre les besoins de l'entreprise, les souhaits de l'entrepreneur et les attentes des héritiers. Il travaillera à la fois au sein de l'entreprise et au sein de la famille.

Si des conflits existent déjà entre les héritiers, comment parvenir alors à les régler? Le Tableau 14 présente quelques conseils qui, d'ailleurs, conviennent à toute entreprise, soit-elle familiale ou non. Ces conseils s'inscrivent dans une démarche de résolution de problèmes qui se fonde sur les postulats suivants: **les deux parties ont intérêt à collaborer et elles peuvent se faire confiance**. Nous remercions notre collègue Roland Foucher, docteur en psychologie industrielle et organisationnelle, pour sa précieuse collaboration à la rédaction de ces étapes.

En résumé

Nous avons proposé cinq étapes pour préparer sa relève et planifier sa succession. Ces étapes expliquent **quand**, **comment** et **quoi** faire: créer un conseil de famille, créer un conseil d'administration ou un comité de gestion, intégrer les héritiers dans l'entreprise familiale, s'assurer la collaboration des cadres supérieurs et effectuer la transition du leadership. L'entrepreneur est celui qui doit instaurer la démarche.

Tableau 14

LES ÉTAPES DE RÈGLEMENT D'UN CONFLIT : DÉMARCHE BASÉE SUR LA COLLABORATION

ÉTAPES	COMPORTEMENTS REQUIS
IDENTIFICATION DU PROBLÈME • S'il y a un comportement de l'autre personne qui me pose problème, sans que je sache si elle est consciente des problèmes qu'elle crée. C'EST MOI QUI AI UN PROBLÈME ET J'INVITE L'AUTRE À COLLABORER.	• Décrire le comportement qui pose problème. • Décrire les conséquences de ce comportement sur moi (de façon à inviter à la collaboration). • Inviter formellement l'autre à collaborer, après s'être assuré qu'il comprend bien la situation.
• S'il y a des faits précis qui posent problème aux deux parties. NOUS AVONS UN PROBLÈME COMMUN À RÉSOUDRE.	• Décrire les faits et leurs conséquences, selon moi. • Demander à l'autre de décrire les faits et leurs conséquences, selon lui. • Si les deux versions diffèrent, poser des questions ouvertes pour vérifier les différences de perception. Cette intervention peut mener à l'identification d'autres problèmes requérant chacun l'application d'une démarche d'analyse.

ÉTAPES	COMPORTEMENTS REQUIS
ANALYSE DES CAUSES • Si c'est un comportement de l'autre personne qui est en cause.	• Poser des questions ouvertes, demander à la personne concernée d'identifier les causes du problème. • S'il y a lieu, la rassurer en lui montrant que l'on ne vise pas à la juger, mais à essayer de résoudre le problème. • Si le comportement peut être attribué à plusieurs causes, demander de les classer par ordre d'importance.
• Si ce sont des faits précis qui posent problème aux deux parties.	• Faire un inventaire des causes possibles. • Identifier les causes les plus plausibles par une analyse logique de la situation et les classer selon l'importance.
RECHERCHE ET CHOIX DE SOLUTION	• Préciser les critères permettant de retenir une solution. • Effectuer ensemble un inventaire de solutions. • Échanger de l'information sur chaque solution en fonction du critère suivant : dans quelle mesure la solution satisfait-elle aux critères préétablis ? • Choisir une solution ; vérifier si elle est réaliste et acceptable pour les deux parties.

ÉTAPES	COMPORTEMENTS REQUIS
IMPLANTATION ET SUIVI	• Convenir d'un échéancier d'application. • S'assurer que les conditions nécessaires à l'implantation de la solution soient identifiées. • Assurer un suivi permettant de vérifier l'application de la solution. • Faire une mise au point pour renforcer l'application de la solution et, s'il y a lieu, revoir le choix initial.

Ces étapes permettent d'associer héritiers et cadres supérieurs, de structurer la gestion de l'entreprise, de coordonner les intérêts familiaux et de régir les interactions entre la famille et l'entreprise par le conseil de famille et le conseil d'administration ou le comité de gestion.

Nous avons suggéré que l'essentiel de la préparation de la relève et de la planification successorale s'effectue lorsque l'entrepreneur est âgé entre 40 et 60 ans et que la transition du leadership se fasse à la fin de cette période.

Nous avons aussi proposé un échéancier à suivre pour l'entrepreneur en fin de carrière et discuté de la situation où plusieurs individus se partagent la propriété de l'entreprise. Nous avons également souligné que les prêteurs, les investisseurs, les fournisseurs et les clients s'intéressent aussi à la relève dans l'entreprise familiale. Finalement, nous avons suggéré des moyens afin d'éviter les conflits dans l'entreprise familiale ou de les régler.

Avant d'aborder les considérations financières, fiscales et juridiques, ainsi que le rôle de la femme dans l'entreprise familiale, voyons d'abord plus en détail le rôle du **conseil de famille**, le rôle du **conseil d'administration** ou du **comité de gestion**, la **relève idéale**, les **décisions préliminaires majeures** que doit prendre l'entrepreneur et les **erreurs à éviter**.

LE CONSEIL DE FAMILLE

Comme nous l'avons vu précédemment, les membres de la famille se regroupent au sein d'un **conseil de famille**. Le conseil de famille est présidé par un héritier (ou temporairement si nécessaire par un conseiller en gestion) qui siège au conseil d'administration ou au comité de gestion de l'entreprise sans y avoir droit de parole et sans participer aux décisions. Son rôle se limite à recueillir les renseignements pertinents sur la performance de l'entreprise et en informer les autres héritiers lors des rencontres mensuelles, semestrielles ou annuelles du conseil de famille, selon le besoin. Ainsi, la famille peut suivre à distance la gestion de l'entreprise familiale sans ingérence.

C'est en conseil de famille que l'on discute formation et carrière des héritiers, hors ou dans l'entreprise, que l'on fournit aux héritiers l'aide financière nécessaire, que l'on encourage les héritiers à développer leur engagement et des comportements de loyauté envers la famille et l'entreprise et que l'on explique les besoins de toute entreprise pour survivre, bref que l'on bâtit le **clan familial**. L'important est d'apprendre aux héritiers à discuter des considérations familiales au conseil de famille sans laisser ces considérations envahir la gestion de l'entreprise. Le conseil de famille permettra de dissocier les missions de la famille et de l'entreprise de telle sorte que **l'entreprise familiale** aura la liberté d'action essentielle à sa croissance.

François-Jean Coutu, président et chef d'exploitation du Groupe Jean Coutu et successeur du président, parle en ces termes des rencontres entre membres de la famille :

> *Les idées respectives de chacun peuvent être arrêtées, mais elles peuvent aussi évoluer dans le temps. C'est pour ces raisons qu'il est nécessaire d'avoir des rencontres régulières entre membres de la famille pour se questionner sur le sujet sans avoir à prendre des décisions immédiates, donc sans que ce soit en réaction à quelque chose. Il est bon de ne rien cacher, de connaître les idées de chacun des membres de la famille, puisqu'une consultation familiale permet une prise de décision plus objective que celle d'un seul individu. Si on obtient le consensus sur une décision, il y a beaucoup de chance que ce soit alors la bonne. Si l'on n'arrive pas à départager, bien sûr quelqu'un devra faire pencher la balance d'un côté comme de l'autre ou encore essayer de composer entre les deux. C'est un peu comme faire une « magistrale » en pharmacie. Il faut quelqu'un de flexible pour prendre le bon côté de chacun des intervenants et en faire un tout. Des rencontres fréquentes entre membres de la famille sont importantes pour renforcer le noyau familial et le nourrir constamment de nouvelles idées.*

Le rôle du conseil de famille est d'abord d'aider les héritiers dans leur développement personnel et de les tenir informés sur tous les aspects de la gestion de l'entreprise. Il faut se rappeler que les héritiers sont ou seront les **propriétaires de l'entreprise**. Le Tableau 15 présente un résumé des principales fonctions du conseil de famille.

Tableau 15

LE RÔLE DU CONSEIL DE FAMILLE

- Définir le rôle et le crédo de la famille ;

- Favoriser l'engagement, l'estime, la communication, les moments passés ensemble, le bien-être spirituel et la capacité de régler les conflits ; travailler à former un clan familial ;

- Amener les héritiers à réaliser la chance qu'ils ont d'avoir à se partager la propriété de l'entreprise et les avantages qui en découlent (enrichissement, fonctions de cadres supérieurs, revenus, etc.) ;

- Assister les héritiers dans leur formation et leur développement ;

- Discuter de la préparation de la relève et de la planification successorale, des résultats financiers de l'entreprise, etc. ; si nécessaire, rencontrer le conseiller en gestion et les experts externes afin de bien comprendre ;

- Encourager des héritiers à développer des intérêts hors de l'entreprise ;

- Amener les héritiers à prendre conscience des responsabilités rattachées à la propriété et la gestion de l'entreprise et développer leur engagement et leur loyauté envers la famille et l'entreprise ;

- Établir les critères de sélection permettant de choisir parmi les héritiers celle ou celui qui deviendra le prochain directeur général de l'entreprise et définir les mesures de sa performance dans ses engagements envers la famille et l'entreprise ;

- Identifier parmi les héritiers celle ou celui (autre que le directeur général) qui présidera le conseil de famille et s'assurer de sa participation au conseil d'administration ou au comité de gestion de l'entreprise à titre d'observateur.

Outre le développement du potentiel des héritiers et leur information, le conseil de famille a aussi pour rôle d'identifier celle ou celui qui deviendra le prochain directeur général. Le candidat choisi devra être jugé compétent par les membres du conseil d'administration ou du comité de gestion. Dans plusieurs cas, l'entrepreneur souhaite, après consultation, nommer celle ou celui parmi les héritiers qui lui succédera. Par ailleurs, tout successeur ultérieur sera, nous l'avons dit, choisi par les héritiers en conseil de famille. On devra avoir appris à reconnaître les besoins de l'entreprise pour que le processus se fasse dans l'harmonie, sans freiner la bonne marche de l'entreprise.

Les regroupements familiaux, appelés **zaibatsu**, furent à la base de l'économie japonaise. Les alliés, lors de leur occupation du Japon durant les années 1945 à 1952, anéantirent les **zaibatsu** : la propriété et le contrôle exercés par les familles furent éliminés.

Néanmoins, dans son livre *Zaibatsu : The Rise and Fall of Family Enterprise Groups in Japan*, l'auteur, Hidemasa Morikawa, insiste sur les relations entre les membres des familles qui formaient un zaibatsu. On y lit :

> *Les familles riches qui possédaient un zaibatsu maintenaient judicieusement les fortunes familiales héritées des prédécesseurs. Elles exerçaient un contrôle strict sur leur actif, leur entreprise et leur mode de vie afin de pouvoir transmettre ces fortunes à leurs descendants. À cette fin, il était d'usage pour une famille zaibatsu d'établir et de faire respecter les règles de la maison.*

Nous parlons ici des années 1700 ; déjà la nécessité d'établir et de faire respecter des **règles familiales** était évidente pour les vieilles familles zaibatsu. Par ailleurs, cette petite phrase « afin de pouvoir transmettre ces fortunes à leurs descendants », ne reflète-t-elle pas

167

la **mission** que doit se donner la relève de toute entreprise familiale?

B. Wong, B.S. McReynolds et W. Wong expliquent, dans le *Family Business Review* de l'hiver 1992, les résultats d'une étude auprès de 26 entreprises familiales américaines, propriétés d'immigrants; les auteurs ont analysé leurs sources de financement initial:

- *14 entreprises familiales ont utilisé les épargnes personnelles des membres de la famille;*
- *4 entreprises familiales ont utilisé les épargnes personnelles et les bénéfices de la vente de leurs maisons à Hong-Kong;*
- *4 entreprises familiales étaient des copropriétés de membres de la famille et ont utilisé les épargnes accumulées lors d'emplois antérieurs;*
- *4 entreprises familiales ont utilisé les fonds provenant de prêts sur leurs propriétés.*

Les auteurs ajoutent: « La mise en commun des ressources familiales apporte une dimension nouvelle de solidarité et de responsabilité aux entreprises. » Un répondant explique:

Je ne peux lancer ou gérer seul mon entreprise. J'ai besoin de l'aide de ma famille. Nous rassemblons notre argent et chaque membre de la famille se sent responsable de l'entreprise. En faisant des affaires avec les membres de la famille, nous nous sentons plus proches. Nous avons le même enjeu dans l'entreprise. Nous sommes des copropriétaires en affaires, associés et, en même temps, nous sommes une famille.

Pour ces immigrants, l'entreprise familiale ne semble pouvoir exister sans la collaboration des membres de la famille: ressources financières, partage des tâches, solidarité, responsabilité, etc.

Le conseil de famille doit aussi définir le **crédo familial** qui repose sur les considérations suivantes :

- les valeurs, croyances et traditions familiales ;
- la contribution de la famille à l'entreprise ;
- la contribution de l'entreprise à la famille ;
- les critères de participation des héritiers à la gestion de l'entreprise ;
- les règles de partage des profits ;
- les règles du transfert des actions de l'entreprise ;
- les modes de règlement des conflits ;
- la responsabilité de préparer sa relève et de planifier sa succession ; etc.

Par ailleurs, il faut savoir **communiquer**, se **parler**. Le *Family Business* de l'automne 1992 publiait un article intitulé « *Watch Your Language* » ; Andrea G. Mackiewicz reprenait les propos d'un expert : « Des familles et des fortunes sont déchirées par ce que se disent les membres de la famille et comment ils se le disent ».

Le rôle du conseil de famille est essentiel. L'entrepreneur, au moment où il gérait **seul** l'entreprise, a pu agir sans consulter. Il en est autrement lorsque plusieurs héritiers se partagent la propriété de l'entreprise. Plus il y a d'individus qui ont des attentes et des droits sur l'entreprise, plus grande est la nécessité de communiquer et de convenir de règles claires.

Bâtir son clan familial

Il y a quelques années, les chercheurs N. Stinnett et J. DeFrain ont analysé près de 3 000 familles américaines afin de déterminer les secrets des **familles fortes**. D'abord, ils définissent ce qu'est une **famille forte** ;

Voici quelques suggestions qui faciliteront la **communication** et la prise de décision lors des rencontres du conseil de famille :

- Se concentrer sur le sujet discuté plutôt que sur les personnes : chercher à comprendre ce que veut dire l'autre plutôt que de s'attacher à la façon dont il l'exprime ;

- Éviter d'accuser, de dire **tu** ; émettre plutôt son opinion, dire **je** ;

- Chercher à en arriver à un compromis : tenir compte de la nécessité de préserver la cohésion et l'harmonie du clan familial ;

- Préférer l'approche « gagnant-gagnant » à l'approche « gagnant-perdant » ;

- Respecter les besoins de l'entreprise face à la concurrence et à ses projets de croissance ;

- Faire appel à un conseiller externe si l'on ne peut arriver à s'entendre et surtout ne pas laisser durer les conflits ou les mésententes.

c'est une famille, disent-ils, où l'on retrouve un mariage heureux, des relations parents-enfants satisfaisantes, et la réponse aux besoins mutuels.

Ils ont identifié six qualités qui se retrouvent chez les **familles fortes** : l'**engagement**, l'**estime**, la **communication**, les moments passés **ensemble**, le **bien-être spirituel** et la **capacité de régler les conflits**. Ils soulignent que l'**engagement** serait la qualité autour de laquelle les autres se développent.

Plus encore, si l'**engagement** est la pierre avec laquelle on bâtit une **famille forte**, l'**estime** en serait le mortier. Selon les auteurs, l'estime des autres se retrouve dans les relations interpersonnelles des membres et se traduit en bout de ligne par des échanges positifs et sereins – **renforcement positif** –, et par ricochet, contribue au renforcement de l'**estime de soi**.

Les auteurs sont allés plus loin et ont reconnu quatre méthodes qu'utilisent les **familles fortes** pour favoriser l'**engagement** de leurs membres :

- **établir des priorités ;**
- **encourager la loyauté et le sentiment d'appartenance ;**
- **partager des objectifs communs ;**
- **développer des traditions familiales.**

Il nous apparaît clair que ces méthodes devraient aussi être celles qu'utilise le **conseil de famille** pour d'abord rechercher l'**engagement** de chacun envers la famille et l'entreprise, et ensuite orchestrer la synergie de ces **engagements**, bref pour bâtir le **clan familial**. Ainsi, il est souhaitable que chaque discussion du **conseil de famille** soit abordée selon l'approche suivante :

- établir les **priorités** des activités à accomplir ;
- inviter chaque membre à contribuer à l'accomplissement des activités (**engagement et sentiment d'appartenance**), selon les priorités établies ;
- identifier les **objectifs** à atteindre et s'assurer que ces objectifs correspondent à la vision du clan familial et respectent ses valeurs, ses croyances et ses traditions ;
- discuter des **objectifs** visés afin qu'ils soient partagés et acceptés de tous (loyauté) ;
- se féliciter mutuellement des résultats obtenus et s'encourager à continuer (**estime**).

Pour y arriver, il va sans dire que des rencontres en **conseil de famille** doivent être tenues ; dans l'entreprise familiale, trop souvent on a négligé l'**équipe familiale** pour ne se préoccuper que de l'entreprise. Ces rencontres doivent être le lieu privilégié pour les échanges d'information. Plus encore, elles doivent être le lieu où l'on planifie l'avenir et le rôle de chacun. Ainsi, **tenir** des rencontres régulières du **conseil de famille** et **s'engager** à y participer deviendra une **tradition** de la famille.

Pour atteindre un tel résultat, il faut **communiquer** et y **mettre du temps** ; aussi, nous invitons l'entrepreneur à discuter en **conseil de famille** de chaque étape de **son plan de relève**, qui comporte des **objectifs** à atteindre et des **activités** à accomplir ; chacun renforcera ainsi son **sentiment d'appartenance** au **clan familial**.

Amener plusieurs individus, sœurs et frères, à diriger et à se partager la propriété d'une entreprise requiert qu'on mette des efforts pour bâtir son **clan familial** ; le **conseil de famille** en est le **point de départ** et... d'**arrivée**.

Claude Barzotti, chanteur populaire, dans sa chanson *C'est ça la famille !*, dit ces mots :

> *Mais c'est la famille.*
> *On l'adore et on la maudit.*
> *On s'en va mille fois et puis*
> *on se réconcilie.*

> *C'est un sapin, un feu de bois,*
> *une colère, une larme de joie.*
> *Élans de haine et de passion,*
> *c'est un problème sans solution.*

Ce refrain exprime bien l'agitation émotive de la famille. *Mais c'est ça la famille !* Quelle famille ne vit pas à un moment ou à un autre des tensions et des mésententes ? Un sage a déjà écrit : « 99 % des familles dit vivre des périodes difficiles, l'autre 1 % ment, fort probablement. » Nous comprenons mieux les paroles de John M. Pigott (président du conseil et chef de la direction de l'entreprise familiale Morison Lamothe inc.

d'Ottawa), lorsqu'il nous disait : « Au sein de l'entreprise familiale, le CEO, "Chief **Executive** Officer", a souvent l'impression d'être le "Chief **Emotional** Officer". »

Par contre, nous sommes d'avis qu'il y a des **solutions**, solutions qui découlent de la détermination à **bâtir son clan familial**. Eugène Tassé, président du Chapitre Outaouais de l'*Association canadienne des entreprises familiales*, et homme d'affaires réputé de la région, nous disait :

> *Après avoir participé à un de vos séminaires et écouté vos propos sur l'importance de bâtir son clan familial, nous avons formé un conseil de famille en février 1992. Nos rencontres, chaque dernier vendredi du mois, favorisent la communication et permettent de développer un climat de confiance. Chacun s'exprime librement et on apprend ainsi à mieux se connaître.*

Peut-être comprendrait-on mieux l'attention qu'il faut porter à son **clan familial** si l'on parlait de « **familles en affaires** » plutôt que d'entreprises familiales ? « **La croissance de l'entreprise familiale est à la mesure de l'harmonie de la famille** ». Si, malheureusement, on ne parvient pas à concilier les intérêts, attentes, besoins, valeurs, croyances et vision des héritiers, on devra choisir en conséquence les modalités de partage et de transition du leadership, de la propriété et du contrôle de l'entreprise.

Certains entrepreneurs choisissent de créer une fiducie afin d'y verser les sommes nécessaires à l'éducation de leurs enfants. D'autres choisissent de créer une fondation ayant une vocation sociale et y versent une partie de leur patrimoine. Consulter un expert externe est ici essentiel afin de s'assurer que le tout est fait selon les règles.

LE CONSEIL D'ADMINISTRATION OU LE COMITÉ DE GESTION

Afin d'assister l'entrepreneur dans la gestion de son entreprise et lors du processus de la relève, et ultérieurement conseiller le successeur, nous sommes d'avis que l'entreprise familiale doit se doter d'un **conseil d'administration** ou d'un **comité de gestion**, selon sa taille (nous parlons ici d'une instance qui conseille l'entrepreneur dans ses décisions et non pas du conseil d'administration requis par la loi si la PME est incorporée).

Un dépliant, intitulé *Le Comité conseil* et publié en 1988 à la suite d'un effort conjoint de la Banque fédérale de développement, la Société de développement industriel du Québec et l'Université du Québec à Montréal, définit le comité conseil (ou **comité de gestion**) en ces termes :

- *C'est un organisme composé de personnes de l'entreprise : propriétaires, cadres supérieurs.*

- *À ceux-ci se joignent des experts de l'extérieur choisis par les propriétaires.*

- *Ensemble, ils s'attaquent à la plupart des tâches d'un conseil d'administration mais seulement à titre d'aviseurs et de conseillers auprès des propriétaires.*

- *Le comité conseil (ou comité de gestion) n'a aucun pouvoir légal ni décisionnel dans l'entreprise et ses membres ne peuvent être tenus responsables des éventuels déboires de la PME.*

- *Tous les pouvoirs restent entre les mains des propriétaires-dirigeants.*

- *Ce comité naît et meurt selon le bon vouloir des propriétaires.*

- *Il peut être une étape préliminaire à la mise sur pied d'un conseil d'administration, lorsque l'entreprise aura atteint la taille nécessaire.*

Les auteurs ajoutent :

Ce dernier (le comité de gestion) vise les principaux objectifs d'un conseil d'administration, tout en évitant ses désavantages, tels les lourdeurs administratives, la réglementation, la responsabilité des membres, etc. Il agit comme aide à la planification et comme support aux propriétaires.

Nous parlerons ici autant du **conseil d'administration** que du **comité de gestion** ; les objectifs de ces deux organismes sont rapprochés. Les chercheurs J. L. Ward et J. L. Handy, dans un article intitulé « A Survey of Board Practices » publié dans le *Family Business Review* de l'automne 1988, résument les principales activités des **conseils d'administration** majoritairement composés d'administrateurs non membres de la famille ; le Tableau 16 les présente.

Il est évident que la plus petite entreprise familiale doit adapter l'ordre du jour des réunions de son **comité de gestion** à ses préoccupations particulières. Il n'en reste pas moins que la PME requiert qu'on s'intéresse à plus qu'aux résultats financiers de l'entreprise ou aux budgets de l'année à venir. Il est essentiel à la survie de la PME familiale qu'on se penche aussi sur les considérations stratégiques – **plan de croissance** –, malheureusement souvent oubliées.

Dans l'entreprise familiale, il y a plus que les préoccupations d'affaires ; il y a aussi les préoccupations reliées à la famille. Dans un article publié dans le *Family Business Review* de l'automne 1988 et intitulé « Différential Directorship : Special Sensibilities and Roles for Serving the Familiy Business Board », l'auteur R. K. Mueller décrit les principaux rôles des membres du **conseil d'administration** dans l'entreprise familiale :

- **Arbitre** *capable d'intervenir dans les désaccords familiaux, face aux hostilités et aux autres sources émotives de stress et de conflit ;*

175

Tableau 16

LES PRINCIPALES ACTIVITÉS
DES CONSEILS D'ADMINISTRATION

Activité		% du temps
Écouter les rapports		49 %
• Résultats financiers récents	21 %	
• Rapports des cadres supérieurs	12 %	
• Rapports du directeur général	16 %	
Approuver des décisions		18 %
• Tâches formelles (rémunération, titres, dividendes, autres)	7 %	
• Décisions stratégiques (acquisitions, plans stratégiques, autres)	11 %	
Discuter des préoccupations critiques		33 %
• Préoccupations stratégiques	16 %	
• Préoccupations organisationnelles	9 %	
• Priorités du directeur général	4 %	
• Succession de l'entreprise familiale	2 %	
• Autres	2 %	
	100 %	100 %

Source : Ward, J.L. et Handy, J.L., « A Survey of Board Practices », *Family Business Review*, vol. 1, n° 3, Automne 1988, p. 298.

- **Expert** lorsque l'entrepreneur manque de temps ou d'expertise pour faire face à certaines difficultés de la gestion de l'entreprise familiale dans un environnement dynamique ;

- **Ressource** pour les membres ou les dirigeants, capable de suppléer aux ressources internes et de fournir une opinion distincte de la philosophie courante, si les preneurs de décisions sont les *défenseurs d'une orientation particulière ou les bénéficiaires d'une action envisagée ;*

- **Confesseur** *pour l'entrepreneur, les membres et les gestionnaires, qui peuvent parler confidentiellement et partager leurs préoccupations, souhaits et problèmes ;*

- **Avocat du diable** *qui peut souligner les faiblesses des arguments ou d'une présentation, quand le conseil, majoritairement composé de membres de la famille, requiert un défenseur du pire scénario ;*

- **Catalyseur** *et* **agent de changement** *qui peut provoquer un changement significatif dans la conduite ou les objectifs de l'entreprise ;*

- **Véhicule d'image** *qui, en tant qu'individu expérimenté et renommé, ajoute à la crédibilité de l'entreprise par son association et par son identification avec elle ;*

- **Source d'information** *dont le réseau de contacts donne des connaissances sur les prêteurs, les nouvelles entreprises, la technologie, les tendances économiques, les débouchés internationaux, et des entrées dans le secteur d'affaires, au gouvernement et dans les maisons d'enseignement, dont l'entreprise peut profiter.*

À notre avis, ces rôles correspondent autant aux préoccupations de gestion qu'aux besoins particuliers de l'entreprise familiale. En effet, dans l'entreprise familiale, les membres du **conseil d'administration** ou du **comité de gestion** auront à intervenir sur des sujets tels: l'embauche des héritiers, leur rémunération, le choix du successeur, les modalités de partage et de transition du leadership, la propriété et le contrôle, le plan stratégique de croissance, l'évaluation de la performance du successeur et des autres héritiers et, bien sûr, ils interviendront à la retraite ou au moment

177

fatidique du décès de l'entrepreneur. Ils seront des conseillers acquis auprès du successeur.

Dans son livre *Rules of the Game* publié en 1984, T. L. Whisler présente les **règles du jeu** que les membres des **conseils d'administration** des 500 plus grandes entreprises américaines répertoriées par *Fortune* disent vouloir suivre. Nous avons retenu les suivantes, que nous présentons au Tableau 17.

Bien que ces règles de conduite concernent les conseils d'administration des grandes entreprises à succès, il n'en reste pas moins que la PME peut s'en inspirer. La réalité du monde des affaires est la même pour toute entreprise, quelle que soit sa taille.

Le *Family Business Review* de l'automne 1988 publiait aussi un article de G. H. Heidrick intitulé « Selecting Outside Directors » ; l'auteur suggère les étapes suivantes pour l'implantation d'un **conseil d'administration** (ou **comité de gestion**) :

- *Revoir la situation actuelle de l'entreprise et ses objectifs ;*
- *Définir ce que serait le conseil idéal ;*
- *Développer un guide* (règles du jeu) ;
- *Établir une liste de candidats ;*
- *Vérifier soigneusement les références de chaque candidat avant une rencontre ;*
- *Mesurer la « chimie » personnelle ;*
- *« Vendre » le candidat souhaité* (aux autres membres) ;
- *Inviter les membres à des discussions périodiques pour évaluer la satisfaction mutuelle.*

Ces étapes sont claires ; elles soulignent le choix de chaque membre du **conseil d'administration** ou du **comité de gestion** selon les objectifs de l'entreprise, la compétence et l'intégrité du candidat, la synergie, et

178

Tableau 17

LES RÈGLES DU JEU

Comprendre pourquoi on est ici

- Nous sommes ici pour donner des conseils, porter des jugements et surveiller l'allocation des ressources de l'entreprise.

- Nous sommes responsables d'évaluer les gestionnaires et, si nécessaire, les remplacer.

- Nous ne gérons pas l'entreprise.

- Nous n'élaborons pas de stratégies.

- Nous sommes responsables d'assurer le potentiel de survie de l'entreprise à long terme.

- Nous ne devons pas renoncer à nos responsabilités.

- Officiellement, nous sommes ici pour agir dans l'intérêt des actionnaires.

Évaluer le directeur général

- Il doit avoir un plan qui apportera croissance et rentabilité.

- Il doit tenir compte de nos conseils.

- Il doit avoir des collaborateurs de qualité.

- Il ne doit pas nous surprendre.

- Il doit tout nous dire.

Source : Whisler, T. L., *Rules of the Game*, Dow Jones-Irwin, New York, 1984.

l'accord des autres membres. Elles invitent aussi à revoir la composition du conseil ou du comité selon les objectifs et les besoins stratégiques de l'entreprise ; les membres qui ne satisfont plus aux attentes devront être remplacés.

Le **conseil d'administration** peut se réunir tous les mois, tous les deux mois ou semestriellement, selon les besoins. Les membres sont élus par les détenteurs des actions votantes, et seulement quelques nouveaux administrateurs sont élus ou ré-élus annuellement, afin d'assurer la continuité au sein du conseil. Le **comité de gestion** est formé, par exemple, du conseiller en gestion, d'un cadre supérieur ou d'un autre entrepreneur, et peut se réunir tous les mois ou tous les deux mois. Les membres du **comité de gestion** sont **choisis** et **nommés** par l'entrepreneur ; ils ne sont pas élus.

Dans la grande entreprise, les honoraires (ou les jetons) versés aux membres du **conseil d'administration** peuvent varier de 500 $ à 700 $, ou plus. Dans la PME familiale, nous sommes d'avis que les honoraires des membres du **comité de gestion** pourraient varier de 150 $ à 250 $ pour chaque réunion. Il importe aussi de commencer les réunions à l'heure, de les terminer à l'heure, et de s'en tenir à des discussions pertinentes, correspondant à l'ordre du jour. Il faut se soucier de respecter l'horaire chargé de ses collaborateurs et d'utiliser efficacement le temps qu'ils consacrent à l'entreprise.

Créer un **conseil d'administration** ou un **comité de gestion**, c'est vouloir partager ses préoccupations et vouloir être conseillé. Ainsi, nous suggérons :

- de **dire toute la vérité** et de ne rien cacher des problèmes que vit l'entreprise ;

- de **choisir des membres** qui ont une expertise et une expérience correspondant aux besoins de l'entreprise ;

- d'inciter chacun des membres à **émettre son opinion** ;

- d'**écouter** plus que de parler ;

- de tenir compte des **conseils reçus**.

180

Nous l'avons dit, les analyses de Dun & Bradstreet le démontrent, année après année, que plus de 90 % des échecs en affaires sont dus à des carences de gestion. Par ailleurs, selon *La petite entreprise au Canada, 1991, l'excellence, gage de prospérité*, (publié par Industrie, Sciences et Technologie Canada), seulement 43 % des entreprises qui existaient en 1979 étaient encore en activité en 1989. Un **conseil d'administration** ou un **comité de gestion** aurait-il pu aider à voir venir les coups ? Nous pensons que **oui** !

Dans certaines PME, on ne semble pas croire en l'utilité d'un tel comité. Les héritiers n'auront alors d'autres choix que de faire confiance à celui qui succédera à l'entrepreneur. Le Tableau 18 présente quelques aspects du rôle du conseil d'administration ou du comité de gestion qui sont particuliers à la transition du leadership de l'entreprise familiale.

Un article publié en 1988 dans le *Family Business Review* intitulé « A Survey of Board Practices » parle du rôle du conseil d'administration dans les entreprises privées. Les auteurs, J. Ward et J. Handy, ont obtenu les opinions d'entrepreneurs américains sur l'utilité d'un conseil d'administration ; les résultats sont les suivants :

- *Extrêmement utile*   *18 %*
- *Très utile*   *49 %*
- *Utile*   *29 %*
- *Pas aussi utile que prévu*   *10 %*
- *Aucune utilité*   *2 %*

Avec la création d'un conseil d'administration ou d'un comité de gestion, certains entrepreneurs craignent de devoir divulguer leurs secrets d'affaires, de parler des tensions familiales ou de partager leur leadership. Ces craintes se révèlent non fondées, comme en témoignent des entrepreneurs à succès qui reconnaissent que l'utilité

Tableau 18

LE RÔLE DU CONSEIL D'ADMINISTRATION OU DU COMITÉ DE GESTION : TRANSITION DU LEADERSHIP

- Évaluer la compétence de l'héritier qui a été choisi pour être le prochain directeur général ;

- Obtenir du directeur général son plan stratégique de croissance, en discuter, proposer des modifications si nécessaire et l'approuver ;

- Établir les critères de mesure de la performance du directeur général (résultats et moyens) dans sa gestion de l'entreprise ;

- S'assurer que le directeur général en poste participe au conseil de famille et prépare sa relève ;

- Informer et conseiller à l'occasion les héritiers sur des différents d'affaires au sein du conseil de famille.

---

d'un conseil d'administration ou d'un comité de gestion compense ces quelques inconvénients.

Selon notre expérience, peu d'entreprises familiales ont un conseil d'administration ou un comité de gestion où siègent des administrateurs non membres de la famille. « **L'étranger** » pourrait pourtant émettre un son de cloche différent, donner une opinion objective et, souvent, éviter que le conflit familial ne prenne l'allure d'une guerre à finir.

LA MODALITÉ DE PARTAGE

Il faut aussi décider de la **modalité de partage** entre les héritiers de la propriété de l'entreprise. Le Tableau 19 présente quelques **modalités de partage**.

Tableau 19

QUELQUES MODALITÉS DE PARTAGE	
OBJECTIFS VISÉS	MODALITÉS DE PARTAGE
• Égalité	• Partage à parts égales entre les héritiers de la propriété de l'entreprise.
• Liberté individuelle	• Scinder l'entreprise et laisser à chaque héritier un secteur distinct.
• Liberté préférentielle totale	• Laisser à un héritier la propriété totale de l'entreprise.
• Liberté préférentielle partielle	• Laisser à un héritier la propriété majoritaire de l'entreprise et aux autres héritiers un partage de la propriété minoritaire de l'entreprise.

À première vue, certaines de ces modalités de partage peuvent sembler injustes alors que, des études l'ont montré, lors du partage de son patrimoine, l'entrepreneur veut être **juste** envers tous ses héritiers. Dans certaines provinces canadiennes, autres que le Québec, la législation même oblige l'entrepreneur à devoir être juste envers chacun de ses héritiers.

Une étude effectuée par la professeure Bowman-Upton, présentée lors d'une conférence en 1989 à l'Université Baylor aux États-Unis, évalue les principaux aspects considérés par les entrepreneurs en ce qui a trait à la transition de l'entreprise aux héritiers :

- *Justice envers tous les enfants*   *31 %*

183

- *Réaction des employés non*
  membres de la famille　　　　　*22 %*
- *Conflits familiaux*　　　　　　　*20 %*
- *Charges fiscales*　　　　　　　　*20 %*

Mais **juste** peut vouloir dire autre chose que **pareil**. Par exemple, à la suite du gel successoral, l'entrepreneur détient des actions privilégiées que lui rachètera l'entreprise. Ces actions privilégiées font partie de son patrimoine qui, de son vivant ou à son décès (par testament), pourrait être partagé entre ses héritiers. L'équité entre les héritiers pourrait ainsi être obtenue si la modalité de partage retenue favorise un ou certains d'entre eux.

Le partage à parts égales entre les héritiers – **égalité** – requiert un esprit d'entraide, la cohésion et l'harmonie du clan familial qui assureront le respect du leadership de l'héritier choisi pour être le prochain directeur général et la collaboration de tous vers un objectif commun : la rentabilité et la croissance de l'entreprise. **Les intérêts de l'entreprise devront passer avant les intérêts personnels de chaque héritier**. C'est la modalité de partage que semble préférer la majorité des entrepreneurs ; aussi, il importe de bâtir son clan familial et de développer des valeurs, des croyances et une vision communes. Si des mésententes profondes existent entre les héritiers, les modalités de partage **liberté individuelle**, **liberté préférentielle totale ou liberté préférentielle partielle**, peuvent être envisagées. Il est irréaliste de forcer des héritiers à diriger ensemble une entreprise lorsqu'ils ne peuvent s'**entendre entre eux** ; Sam Steinberg en conviendrait sûrement aujourd'hui ! D'autre part, si seulement certains héritiers travaillent dans l'entreprise, on pourrait penser à ne laisser qu'à ceux-ci la propriété de l'entreprise. L'équité dans le partage du patrimoine pourra, nous l'avons vu, être obtenue par des mesures testamentaires.

184

Monsieur Jean Coutu, président du conseil d'administration et chef de la direction du Groupe Jean Coutu, explique en ces termes la modalité de partage de la propriété de l'entreprise :

> *Nous avons cinq enfants, trois garçons actifs dans l'organisation et deux filles qui, bien que non impliquées présentement, ont toutes deux, comme leurs frères, travaillé plusieurs années dans les pharmacies. Donc, d'un commun accord, ma femme et moi avons cru bon de séparer les actions en cinq parts égales, transférables à leurs enfants, mais non à leur conjoint, et non vendables au public sans perdre leur privilège de dix votes par action. Ainsi, sans brimer les actionnaires, nous voulions prévenir l'envahissement de notre compagnie par des étrangers.*

L'entrepreneur ne peut faire le choix d'une modalité de partage sans déjà penser à celui ou ceux qui lui succéderont. En plus des considérations familiales, de la force du **clan familial** et de la compétence de chaque héritier, la **sélection du ou des successeurs** doit aussi tenir compte des besoins de l'entreprise. Il est clair que selon la modalité de partage retenue, il faudra dans certains cas choisir plus d'un successeur.

LA RELÈVE IDÉALE

Au départ, il faut d'emblée reconnaître que l'affection ne peut et ne pourra jamais remplacer la compétence. La relève idéale, c'est donc un héritier qui a la motivation et les capacités d'être le prochain directeur général. Il doit avoir la confiance des autres héritiers, l'appui et le respect des cadres supérieurs et des membres du conseil d'administration ou du comité de gestion. Il a une expérience du secteur d'affaires, il a été cadre supérieur dans l'entreprise et a acquis une bonne formation en gestion. Il est souhaitable qu'il ait aussi

185

une expérience de trois à cinq années hors de l'entreprise. Écoutons Ève Morin, vice-présidente chez J. B. Lefebvre ltée, et fille de la présidente, nous parler de sa formation et de son expérience :

> *Avant de me joindre à l'entreprise, j'ai travaillé chez IBM, d'abord à Montréal, puis à Toronto, comme informaticienne-conseil. Par la suite, je suis allée faire un MBA, spécialisation commerce international, en Europe.*

L'héritier qui deviendra le prochain directeur général accepte de **planifier sa gestion** en collaboration avec les héritiers à l'emploi de l'entreprise et les cadres supérieurs et fait accepter ses plans par le conseil d'administration ou le comité de gestion de l'entreprise. En un mot, il travaille en équipe et favorise la gestion participative. Il faut se rappeler qu'il représente les autres héritiers et gère l'entreprise en leur nom. Il se doit d'être transparent et de permettre aux héritiers de **mesurer périodiquement la performance de l'entreprise**. Le Tableau 20 résume les principales caractéristiques du successeur idéal.

Bien sûr, rares sont les situations où l'on trouve la perfection. Les héritiers doivent accepter d'acquérir une formation et d'être conseillés dans leur apprentissage. Ainsi, quand viendra le temps, on pourra, en toute confiance, choisir celle ou celui qui deviendra le prochain directeur général et certains autres pour être des cadres supérieurs compétents.

Et pourquoi n'encouragerait-on pas le successeur ainsi que les autres héritiers qui veulent se joindre à l'entreprise familiale à rencontrer un expert qui pourrait évaluer leur compétence et les orienter dans leur formation et leur apprentissage? Les bénéfices en seront d'autant plus grands si les héritiers sont jeunes.

Notre collègue Carole Lamoureux, docteure en psychologie industrielle, nous indique qu'on peut, à

Tableau 20

LA RELÈVE IDÉALE, C'EST UN HÉRITIER QUI...

- A la confiance des autres héritiers ;
- Accepte le rôle du conseil de famille ;
- A le respect et l'appui des membres du conseil d'administration ou du comité de gestion, des cadres supérieurs et des employés ;
- Accepte le rôle du conseil d'administration ou du comité de gestion ;
- Respecte les droits de contrôle de l'entrepreneur ;
- Favorise la gestion participative ;
- Accepte de planifier sa gestion et l'évaluation de sa performance ; élabore un plan stratégique de croissance ;
- Correspond aux besoins de compétences de l'entreprise ;
- A une expérience pertinente et une formation en gestion ;
- A une connaissance technique du secteur ;
- A la volonté d'être directeur général et a confiance en ses capacités ;
- Saura préparer sa relève, planifier sa succession et céder sa place lorsqu'en viendra le temps.

l'aide de tests, de jeux de rôles, de simulations et de discussions, mesurer les caractéristiques suivantes :

- Les caractéristiques de type administratif : le sens de la planification, de l'organisation, de la décision et de contrôle ;
- Les caractéristiques de type intellectuel : l'esprit d'analyse et de synthèse et le jugement ;

187

- Les caractéristiques de type interpersonnel : la communication, le leadership, le sens de l'écoute et les habiletés à gérer les conflits ;
- Les caractéristiques de type personnel : la flexibilité, la résistance au stress, la confiance en soi et la détermination.

Par ailleurs, doit-on faire appel à un gestionnaire externe temporaire si aucun héritier n'est actuellement apte à être directeur général ? Doit-on, dans ce cas, vendre l'entreprise ? C'est bien sûr une décision qui appartient à l'entrepreneur, décision qui sera basée sur l'urgence de nommer un successeur, la motivation et la capacité des héritiers d'obtenir une formation, le temps requis pour y arriver et leur volonté de prendre la relève.

Dans la parution de janvier 1993 de *Suites* – Le magazine des diplômés et des diplômées de l'UQAM –, Hélène Morin cite les paroles de Pierre-Karl Péladeau :

> *Personne n'a été désigné successeur et il n'est pas question de le faire. L'important, c'est que la personne qui va prendre le poste soit capable de l'assumer. Il ne suffit pas de posséder des actions ; il faut se faire respecter par les employés, les actionnaires, les banquiers, la communauté financière en général. Si je n'en suis pas capable, si mon frère n'en est pas capable, ce sera quelqu'un de l'extérieur qui va accéder au poste. J'ai tendance à privilégier la méritocratie plutôt que le népotisme.*

LES MODALITÉS DE TRANSITION

La modalité de partage établit **qui** aura **quoi**. Mais il y a aussi le comment doit se vivre le partage, ou les **modalités de transition** du **leadership**, de la **propriété** et du **contrôle** de l'entreprise aux héritiers. Nous proposons quelques modalités de transition selon l'objectif visé. Nous éviterons de discuter des nombreux raffinements techniques ou des considérations particulières qui peuvent et devront être apportés selon chaque situation pour ne parler que des aspects essentiels. Aussi, il importe de **consulter son conseiller en gestion et ses experts externes** lors de la prise de décisions.

La modalité de transition du leadership

Le Tableau 21 suggère **trois modalités de transition du leadership** de l'entreprise.

Le choix d'une **modalité de transition de leadership** découle des souhaits de l'entrepreneur, de son âge, de son état de santé, des besoins de l'entreprise et, bien sûr, de la motivation et des capacités du successeur. Si le successeur est jeune et que l'entrepreneur, avant d'effectuer la transition de propriété de l'entreprise, souhaite le voir faire ses preuves, on peut alors

Tableau 21

QUELQUES MODALITÉS DE TRANSITION DU LEADERSHIP	
OBJECTIFS VISÉS	**MODALITÉS DE TRANSITION DU LEADERSHIP**
• Leadership temporaire	• Convenir d'un mandat de gestion avec le successeur.
• Leadership progressif	• Période de cohabitation de l'entrepreneur et du successeur.
• Leadership total	• Retrait de l'entrepreneur de l'entreprise.

penser au **leadership temporaire**. Par ailleurs, si l'entrepreneur est plus âgé et pense à se retirer, on peut penser au **leadership progressif** – cohabitation de l'entrepreneur et du successeur pendant une ou deux années – pour finalement en arriver au **leadership total**.

Par ailleurs, dans certaines situations où le successeur n'a pas acquis la formation et l'expérience que requiert la direction de l'entreprise, on pourrait penser à l'embauche d'un **gestionnaire externe** à qui on confierait, temporairement, la gestion de l'entreprise.

La modalité de transition de la propriété

Le Tableau 22 présente quelques **modalités de transition de la propriété** de l'entreprise.

La **propriété individuelle** est claire et simple : au moment du gel successoral, de nouvelles actions participantes sont émises au nom des héritiers. La **propriété protégée** – création de fiducies – pourrait permettre à l'entrepreneur de transférer la propriété de l'entreprise à une ou des fiducies et en même temps de gérer cette ou ces fiducies. Il pourrait ainsi, si nécessaire, réviser ses décisions de partage selon l'évolution et les circonstances. Par exemple, une modalité de partage «liberté individuelle» – diviser l'entreprise et laisser à chaque héritier un secteur distinct de l'entreprise – pourrait être effectuée par une fiducie créée en faveur de chaque héritier. Quant à la **propriété totale**, elle implique que l'entrepreneur ne détient plus aucune action participante ; la totalité étant émise aux héritiers (ou leur fiducie). La **propriété partielle** consiste à n'émettre qu'une portion des actions participantes aux héritiers (ou leur fiducie), l'entrepreneur détenant encore l'autre portion.

Quelques mots sur les fiducies. Bien que nous soyons d'avis que la création d'une fiducie par héritier **clarifie le partage** et favorise chez celui-ci le **sentiment**

Tableau 22

QUELQUES MODALITÉS DE TRANSITION DE LA PROPRIÉTÉ	
OBJECTIFS VISÉS	**MODALITÉS DE TRANSITION DE LA PROPRIÉTÉ**
• Propriété individuelle	• Émettre les nouvelles actions participantes au nom des héritiers.
• Propriété protégée	• Émettre les nouvelles actions participantes au nom d'une fiducie créée en faveur de chaque héritier – le bénéficiaire – (ou d'une fiducie familiale) et dont le gestionnaire – le fiduciaire – est l'entrepreneur ou toute autre personne nommée, ou les deux.
• Propriété totale	• L'entrepreneur ne détient plus aucune action participante, les héritiers (ou leur fiducie) les détiennent toutes.
• Propriété partielle	• L'entrepreneur détient encore une portion des actions participantes ; les autres sont émises au nom des héritiers (ou leur fiducie).

de responsabilité individuelle, l'entrepreneur peut envisager la création d'une seule fiducie en faveur de tous les héritiers, dite **fiducie familiale**. Par ailleurs, nous sommes aussi d'avis que la création de fiducies est une **mesure d'exception** – lorsque les héritiers sont jeunes, n'ont pas fait la preuve de leur motivation et de leurs capacités, etc. Lorsque les héritiers géreront l'entreprise, la sauvegarde du patrimoine de l'entrepreneur, et éventuellement l'héritage des autres héritiers (les actions privilégiées que détient l'entrepreneur à la suite du gel successoral), sont entre leurs mains puisque ce patrimoine dépend de la qualité de leur gestion. Dans certains cas, des entrepreneurs pourraient souhaiter pouvoir revoir leurs décisions de partage, ce que pourrait permettre la création de fiducies, selon le libellé des actes. D'autre part, il faut savoir que la création de fiducies ne favorise aucunement le **sentiment de propriété psychologique** de l'entreprise chez les héritiers.

La modalité de transition du contrôle

Il faut aussi choisir la **modalité de transition du contrôle** de l'entreprise. Le Tableau 23 en présente certaines.

Tableau 23

QUELQUES MODALITÉS DE TRANSITION DU CONTRÔLE	
OBJECTIFS VISÉS	MODALITÉS DE TRANSITION DU CONTRÔLE
• Contrôle gardé par l'entrepreneur	• Les actions de contrôle sont gardées ou émises à l'entrepreneur.
• Contrôle partagé	• Les actions de contrôle sont partagées entre l'entrepreneur et les héritiers.
• Contrôle cédé aux héritiers	• Les actions de contrôle sont émises aux héritiers.

Bien qu'il soit quelquefois envisagé, le **contrôle cédé** aux héritiers est plutôt rare. Dans la majorité des cas, le **contrôle gardé** par l'entrepreneur est préféré ; l'entrepreneur choisira alors, et c'est bien normal, de présider le conseil d'administration ou de participer aux réunions du comité de gestion. Le **contrôle partagé** pourrait quelquefois être convenu, surtout dans la situation où l'entrepreneur est âgé et que la transition du leadership et de la propriété est effectuée en faveur d'un seul héritier. Quoi qu'il en soit, il importe dans tous les cas de prévoir les conditions où l'on mettra fin aux droits de contrôle de l'entrepreneur. Il faudra aussi revoir le testament de l'entrepreneur en conséquence, à savoir, ce qu'il adviendra de ses actions de contrôle et de ses actions privilégiées, et prévoir toute autre mesure pertinente. Par ailleurs, comme nous le disait un expert, il ne faut pas trop vouloir « ***dictate from the grave*** ».

Préalablement au choix des **modalités de transition** du **leadership**, de la **propriété** et du **contrôle** de l'entreprise, il faut évaluer la motivation et les capacités de chaque héritier, définir la vision du clan familial quant aux rôles futurs de la famille et de l'entreprise, et tenir compte des souhaits de l'entrepreneur et des besoins de l'entreprise.

LES DÉCISIONS PRÉLIMINAIRES MAJEURES

Afin de préparer sa relève et de planifier sa succession, l'entrepreneur a certaines décisions majeures à prendre pendant qu'il gère l'entreprise. Le Tableau 24 résume quelques politiques essentielles à définir.

Doit-on vendre l'entreprise en totalité ou en partie ? Doit-on penser à une fusion avec d'autres entreprises ?

Que prévoit-on pour les cadres supérieurs non membres de la famille, lorsque les héritiers seront aptes

193

Tableau 24

LES DÉCISIONS PRÉLIMINAIRES MAJEURES

- Doit-on vendre l'entreprise en totalité ou en partie, et partager le patrimoine entre les héritiers (famille entrepreneuriale) ou laisser l'entreprise aux héritiers (entreprise familiale)?

- Doit-on penser à une fusion avec d'autres entreprises? L'entreprise pourra-t-elle survivre à la concurrence? À la mondialisation des marchés?

- Doit-on déplacer les cadres supérieurs non membres de la famille, pour permettre aux héritiers d'acquérir expérience et formation? Doit-on les congédier pour accorder aux héritiers des postes de direction?

- Doit-on nommer le prochain directeur général à vie ou lui donner un mandat d'une durée définie avec possibilité de reconduction? Doit-on penser à une rotation entre les héritiers?

- Doit-on encourager les héritiers à se concurrencer pour l'obtention de promotions? Pour le poste de directeur général? Doit-on exiger l'exclusivité de service?

- Doit-on faire appel à un gestionnaire externe temporaire si aucun héritier n'est actuellement apte à agir comme directeur général? Pour quelle période de temps?

- Doit-on inclure les conjoints dans le regroupement familial?

- Doit-on prévoir des restrictions quant à la propriété des actions au décès des héritiers?

- Doit-on revoir le plan stratégique de croissance de l'entreprise et réviser les outils de gestion?

- Doit-on prévoir le retour de l'entrepreneur ou l'embauche d'un gestionnaire externe si les résultats se dégradent à la suite de la transition du leadership?

à occuper leurs postes ? Faudra-t-il les déplacer ? Les congédier ?

Quelle sera la durée du mandat du prochain directeur général ? Doit-on encourager les héritiers à se concurrencer pour l'obtention de promotions ? Pour le poste de directeur général ? Si aucun héritier n'est aujourd'hui capable d'assumer le leadership de l'entreprise, doit-on embaucher un gestionnaire externe temporaire ? Confier le leadership à un cadre supérieur ? Doit-on exiger des héritiers l'exclusivité de service ?

Qui est considéré comme héritier ? Les conjoints en sont-ils ? Quelles sont les restrictions à imposer sur la propriété des actions ? Le transfert des actions ? Des investisseurs extérieurs ou des cadres supérieurs pourront-ils participer à la propriété de l'entreprise ?

La gestion de l'entreprise est-elle suffisamment structurée ? Les outils de planification et de contrôle sont-ils adéquats ? L'implantation d'outils de gestion, si nécessaire, doit s'effectuer avant la transition du leadership, préférablement avant et durant la période où l'entrepreneur et son successeur géreront l'entreprise en **tandem**. Doit-on revoir le plan stratégique de croissance de l'entreprise ? Doit-on prévoir le retour de l'entrepreneur ou l'embauche d'un gestionnaire externe si les résultats se dégradent à la suite de la transition du leadership ?

Afin de définir correctement ces politiques, l'entrepreneur a besoin d'être guidé. Cette consultation doit être faite par un **conseiller** capable de comprendre ses souhaits, les besoins stratégiques de l'entreprise, les attentes des héritiers et le rôle des cadres supérieurs.

LES ERREURS À ÉVITER

Le Tableau 25 présente les principales erreurs commises lors de la préparation de la relève et de la planification successorale. L'erreur la plus fréquente est de ne rien faire d'autre qu'un testament en faveur du conjoint. Prétextant que l'entreprise requiert toutes ses énergies, qu'il ne sait pas ce qu'il faut faire ou qu'il y a des conflits entre les héritiers, l'entrepreneur est tenté de remettre au lendemain, mais le temps n'arrange pas les choses. Au contraire! Agir tôt et avoir un plan rationnel sont des avantages majeurs. Il ne faut pas oublier que **décider de ne pas décider, c'est prendre une décision**. De plus, dans la gestion d'une entreprise familiale, en matière de préparation de la relève et de planification successorale, décider de ne pas décider sera tôt ou tard fatal pour l'entreprise et détruira souvent l'harmonie familiale.

Par ailleurs, il faut reconnaître que les conflits familiaux sont un signal d'alarme indiquant que les héritiers ne sauront s'entendre sans arbitrage. L'entrepreneur ne peut penser : « Les enfants n'ont qu'à s'entendre, c'est leur problème. » Bien sûr, la structure et les conventions juridiques régiront les interactions entre la famille et l'entreprise. Mais l'existence de conflits majeurs chez les héritiers pourrait requérir plus que la mise en place de ces conventions, si l'on veut régler la situation. Elle peut impliquer aussi de la formation, de l'assistance spécialisée, ainsi que le choix de modalités de partage et de transition du leadership, de la propriété et du contrôle qui tiennent compte de cette réalité.

Il est également bon de prévoir un autre plan de relève si l'héritier choisi ne peut agir. Personne n'est immortel et la vie nous réserve des surprises. Nous avons connu une entreprise familiale où l'entrepreneur avait choisi son successeur ; on en était à gérer l'entreprise en tandem. Le successeur devint subitement malade et mourut quelques mois plus tard. L'entrepreneur perdit tout intérêt et son âge avancé l'empêchait, disait-il, de recommencer : « Je vis au jour le jour ; je ferai ce que veulent mes autres enfants. Mais, ne me demandez plus de m'impliquer. » Avoir un autre plan de

Tableau 25

LES ERREURS À ÉVITER

- Faire un testament qui stipule « au dernier vivant, les biens... » ce qui laisse au conjoint, bien sûr, la propriété de l'entreprise mais aussi tous les conflits entre les héritiers et la responsabilité de la gestion de l'entreprise (si l'entrepreneur ne peut parvenir à préparer sa relève et planifier sa succession, comment le conjoint pourra-t-il y arriver après son décès ?) ;

- Penser « les enfants n'ont qu'à s'entendre, c'est leur problème » ; les statistiques démontrent clairement qu'ils y parviennent rarement sans une assistance appropriée et une structure juridique adéquate (si des conflits existent déjà entre les héritiers alors que l'entrepreneur arbitre leurs échanges, comment pourront-ils s'entendre après le départ du dirigeant ?) ;

- Croire que le temps arrange les choses ; au contraire, la confusion croît avec le temps (générations futures) ;

- Oublier que l'héritier choisi pour devenir le prochain directeur général n'est pas éternel, à l'abri de tout problème, de toute maladie ou de tout accident ;

- Croire que seuls les aspects techniques (financiers, fiscaux, juridiques) sont importants ;

- Refuser ou négliger de faire appel en temps propice à un conseiller apte à comprendre les souhaits de l'entrepreneur, les attentes des héritiers et les besoins stratégiques de l'entreprise. Ce conseiller doit être capable de travailler en équipe avec les experts externes (conseiller juridique, expert-comptable, fiscaliste, assureur) et de considérer le rôle essentiel des cadres supérieurs.

relève, c'est aussi imaginer ce qui peut arriver ; y penser à l'avance permet de se bâtir des défenses.

Se limiter aux considérations financières et fiscales ou à la signature d'actes juridiques ne suffisent pas, les statistiques le démontrent clairement. Finalement, refuser ou négliger de se faire aider par un conseiller compétent, c'est aussi décider de ne pas décider.

L'entrepreneur ne peut envisager de solution facile. Il n'en est aucune. Le bien-être de sa famille et la survie de son entreprise dépendent de sa vision. Son rôle de leader lui confère cette responsabilité d'instaurer la démarche de la préparation de sa relève et de la planification de sa succession. Nous l'avons dit, il n'est jamais trop tard. L'important est d'**agir** plutôt que de laisser les héritiers devoir **réagir**.

CHAPITRE 5

LES CONSIDÉRATIONS FINANCIÈRES, FISCALES ET JURIDIQUES

Les aspects financiers, fiscaux et juridiques à considérer sont aussi importants que multiples, car ils sont le résultat de décisions personnelles. Comme il n'y a pas de **solution toute faite**, il faut obligatoirement qu'un expert-comptable, un fiscaliste, un conseiller juridique et un assureur collaborent. Leur travail sera orienté par le **conseiller en gestion** chargé de coordonner le processus de la préparation de la relève et de la planification successorale, et ce, sur deux aspects principaux :

- le prix et les modalités de transition de l'entreprise ;
- la structure et les conventions juridiques.

LE PRIX ET LES MODALITÉS DE TRANSITION

Préalablement à la transition de l'entreprise aux héritiers, il faut établir la **juste valeur marchande** de l'entreprise. Cette évaluation doit être argumentée, puisqu'en découlent des considérations fiscales. En effet, même si l'entreprise est vendue aux héritiers à un prix inférieur à sa juste valeur marchande, le gain en capital réalisé par l'entrepreneur est calculé selon la juste valeur marchande, et non pas le prix de vente. Par ailleurs, au décès de l'entrepreneur, il y a une disposition présumée à la juste valeur marchande, et l'impôt sur le gain en capital est aussi établi à partir de cette juste valeur marchande de l'entreprise.

Il existe plusieurs méthodes d'établissement de la valeur marchande de l'entreprise ; en voici quelques-unes : la valeur aux livres, la valeur aux livres redressée, l'actualisation des *cash flow*, la capitalisation du bénéfice et la méthode du bénéfice avant intérêts et impôts (BAII). Nous présentons, à l'Annexe I, le détail des calculs selon chacune de ces méthodes.

Il y a quelques années, un entrepreneur nous a consulté au moment de laisser l'entreprise familiale à deux de ses enfants. De bonne foi, ils avaient convenu que la valeur de l'entreprise était de 400 000 $. Nous avons établi la juste valeur marchande à 220 000 $; la valeur aux livres était de 140 000 $, tandis que les profits annuels moyens étaient de 40 000 $. Les fils avaient des projets de croissance. Comment, avec une telle différence entre la valeur convenue et le potentiel de revenu de l'entreprise, auraient-ils pu à la fois rembourser le père et entreprendre l'expansion envisagée ?

Il existe des mesures permettant de réduire les charges fiscales. Un fiscaliste compétent évalue les conséquences fiscales de la vente et propose, si nécessaire, certaines modifications. Le Tableau 26 résume les considérations majeures quant au prix et aux modalités de transition.

Nous le savons, le coût des impôts au décès de l'entrepreneur est un facteur majeur affectant le **potentiel de survie** de toute entreprise familiale. L'entrepreneur ne peut éviter les impôts au décès que s'il y a roulement à son conjoint. Mais, ce n'est que partie remise ; au décès du conjoint, les impôts seront alors dus.

200

Tableau 26

LE PRIX ET LES MODALITÉS DE TRANSITION

- Faire appel à un expert-comptable et un fiscaliste capables de travailler en équipe et de comprendre les dimensions humaines de la préparation de la relève et de la planification successorale ;

- Établir la juste valeur marchande de l'entreprise ;

- Établir les besoins financiers de l'entrepreneur à la retraite ;

- Définir le prix et les modalités de transition (gel successoral, fiducie, vente des actions ou des actifs, contrôle de l'entreprise, dividendes, rachat des actions, etc.) en collaboration avec le conseiller en gestion et le conseiller juridique ;

- Déterminer les conséquences fiscales de la transition et en réviser les modalités, si nécessaire ;

- Établir la capacité financière de l'entreprise ;

- Établir le besoin d'assurance-vie ;

- Obtenir le financement requis, si nécessaire.

Bien que les analyses comptables et fiscales soient effectuées par les experts externes de l'entreprise, le Tableau 27 propose d'établir l'estimation sommaire de la **valeur marchande** de l'entreprise, des **exemptions fiscales**, et des **impôts à payer sur le gain en capital**. Certaines provinces canadiennes peuvent imposer un impôt particulier sur le gain en capital. Nous le savons par expérience, trop souvent les héritiers de l'entrepreneur ne disposent pas des fonds requis pour payer ces impôts ; ils connaissent alors des problèmes de liquidité et l'entreprise doit quelquefois être vendue rapidement, à perte, ou liquidée.

201

Tableau 27

L'ESTIMATION SOMMAIRE DES IMPÔTS À PAYER SUR LE GAIN EN CAPITAL

- Valeur aux livres redressée :

  - Valeur aux livres   _____ $

  - Plus-value de l'achalandage   _____ $

  - Plus-value des immobilisations   _____ $

- Total : estimation sommaire de la valeur marchande
  de l'entreprise   _____ $

- Moins : estimation sommaire des exemptions fiscales
  (les actions doivent se qualifier au moment du gel –
  successoral ou au décès de l'entrepreneur)   _____ $

- Estimation sommaire du gain en capital net (estimation sommaire de la valeur marchande moins
  estimation sommaire des exemptions fiscales)   _____ $

- Estimation sommaire du gain en capital imposable   _____ $

- Estimation sommaire du coût des impôts sur le gain
  en capital   _____ $

- Plus : autres impôts (selon chaque province)   +   _____ $

- **Estimation sommaire** des impôts à payer sur le gain
  en capital   _____ $

Pour établir l'estimation sommaire de la **valeur marchande** de l'entreprise, nous proposons pour l'instant de n'utiliser qu'une seule technique simple: *la valeur aux livres redressée* qui, on le sait, ne donne qu'une valeur approximative. L'objectif de ces calculs n'est ici que de prendre conscience qu'il y aura des impôts à payer et de leur ordre de grandeur. Nous l'avons dit, la

juste valeur marchande de l'entreprise devra être établie et argumentée par des experts compétents.

Quelques mots sur le **gel successoral**. En termes simples, cette technique permet de plafonner l'enrichissement de l'entrepreneur à une date donnée en émettant, par exemple, de nouvelles **actions participantes** aux héritiers. Le Tableau 28 en présente une application que nous avons vécue à titre de conseiller ; la collaboration du conseiller juridique, de l'expert-comptable et du fiscaliste de l'entreprise était essentielle.

On voit clairement le remaniement du capital-actions émis et payé : l'entrepreneur a converti ses 1 000 actions catégorie « A » en 1 000 actions catégorie C, rachetables avec dividendes, et a souscrit 200 actions

Tableau 28

LE GEL SUCCESSORAL : UNE APPLICATION				
STRUCTURE DU CAPITAL-ACTIONS				
AVANT LE GEL SUCCESSORAL				
	Nombre d'actions	Catégorie d'actions	Actions participantes	Actions votantes	Votes par actions
Entrepreneur	1 000	« A »	Oui	Oui	1
APRÈS LE GEL SUCCESSORAL				
Entrepreneur	1 000	C	Non	Non	0
	200	D	Non	Oui	10
Héritier A	50	A	Oui	Oui	1
Héritier B	50	A	Oui	Oui	1

catégorie D, votantes avec droit de 10 votes par action ; chacun des héritiers a souscrit 50 actions catégorie A, participantes avec droit de un vote par action.

Ainsi, l'entrepreneur a gardé le « **contrôle** » de l'entreprise. Les héritiers accroîtront leur enrichissement sur papier puisqu'ils détiennent toutes les actions participantes émises après le gel successoral. On limite ainsi les impôts à payer sur le gain en capital au décès de l'entrepreneur. On peut aussi profiter de l'occasion pour cristalliser l'exemption sur le gain en capital de l'entrepreneur, selon les modalités prévues à la loi de l'impôt sur le revenu.

Lorsque bien utilisée, et effectuée au bon moment, la technique du **gel successoral** pourrait permettre de multiplier par 2, 3, ou 4 les exemptions fiscales autorisées. Le coût de l'inaction n'est-il pas élevé ?

Un entrepreneur pourrait cristalliser son exemption sur le gain en capital, même s'il ne juge pas encore approprié d'émettre des actions à ses héritiers. Richard Dalcourt, associé du Groupe Mallette Maheu, nous disait :

> Un simple remaniement de la structure du capital-actions permet à l'entrepreneur de cristalliser son exemption fiscale sur le gain en capital. On fait comme s'il se vendait à lui-même.

D'autre part, Jacques Authier, associé-fiscaliste chez Caron Bélanger Ernst & Young, explique :

> Il existe différentes méthodes d'effectuer un gel successoral des actions d'une compagnie ou des placements détenus par un particulier, soit :
> - la vente directe des biens ;
> - la donation des biens ;
> - le gel externe :
>   - gel d'un portefeuille ;

- *gel d'une corporation ;*
- *gel inversé ;*
- *le gel interne :*
  - *gel d'une compagnie de placement ;*
  - *gel d'une compagnie active.*

Les deux premières méthodes n'offrent que très rarement une solution optimale tant au niveau économique que fiscal ; les deux dernières sont plus utilisées. Le choix découle de la planification des affaires de l'entrepreneur.

Jacques Authier ajoute :

Afin que l'entrepreneur – propriétaire d'actions d'une compagnie – puisse cristalliser l'exemption sur le gain en capital lors du gel de ses actions, il doit s'assurer que ces actions rencontrent les exigences prévues à la loi de l'impôt, tant fédérale que provinciale. Ces exigences étant précises et relativement complexes, il est suggéré d'avoir recours à un spécialiste en fiscalité.

*Il faut, par ailleurs, distinguer entre faire un **gel sucessoral** en faveur de ses héritiers et **vendre son entreprise** à ses héritiers. Les conséquences fiscales de ces deux approches étant nettement différentes, chacune nécessite une analyse et des moyens particuliers.*

Les impôts ! Quelle triste réalité ! La Législation fiscale prévoit qu'un entrepremeur peut bénéficier, si l'actif rencontre certaines exigences, d'une exemption sur le gain en capital. Mais, si l'entrepreneur vend son entreprise à ses enfants, des technicités pour le moins bizarres font que s'il réclame l'exemption, ses héritiers devront indirectement payer des impôts sur ce montant. Il en serait autrement si l'entrepreneur vendait son entreprise... à des étrangers. Des allégements existent mais ils ne compensent pas, pour la grande majorité des entrepreneurs, les inconvénients de la législation.

À quels sinistres dilemmes, le père-entrepreneur, propriétaire d'une entreprise familiale, n'est-il pas condamné ? Un premier dilemme : garder l'entreprise dans la famille et perdre des avantages fiscaux, ou vendre l'entreprise à des étrangers et profiter des avantages fiscaux.

S'il choisit de garder l'entreprise dans la famille, le père-entrepreneur fait alors face à un second dilemme : profiter lui-même des avantages fiscaux et faire payer plus d'impôts à ses enfants ou ne pas profiter des avantages fiscaux et réduire la charge fiscale de ses enfants.

Où est donc la vision des élus, qui d'une main encouragent l'entrepreneurship et, de l'autre, freinent la transition des entreprises familiales ? Les élus ne peuvent-ils pas voir ces « crocs-en-jambe » pour le moins insolites ? Les fonctionnaires ne peuvent-ils pas les en informer ? Après tout, on refait le budget chaque année !

De toute évidence, il importe de consulter un expert-comptable ou un fiscaliste compétent et d'écouter ses conseils puisque la législation fiscale présente des considérations particulières quant aux entreprises familiales. Robert Gauvin, président de Imprimerie Gauvin ltée de Hull – une entreprise familiale fondée en 1892 –, raconte son expérience :

> En 1984, mon père est décédé et j'en (l'entreprise) suis devenu le président. Les comptables de l'époque semblent avoir mal conseillé mon père ou mon père n'a pas accepté ces conseils. Il en a résulté que cet imbroglio a coûté beaucoup de sous, **de gros sous**.

L'entrepreneur doit, par ailleurs, tenir compte de ses besoins financiers personnels et de ceux de son conjoint. Ses revenus proviendront-ils de dividendes ? Du rachat de ses actions ? D'un salaire ? L'entreprise pourra-t-elle payer ces sommes ? L'entrepreneur a-t-il fait établir son bilan successoral ? Un fiscaliste a-t-il estimé le coût de ses impôts au décès ? L'entrepreneur dispose-t-il des fonds nécessaires ? Doit-il souscrire à une assurance-vie ? Des prévisions financières doivent aussi être effectuées au moment de la transition afin de mesurer la capacité de l'entreprise de **faire ses paiements** et de conserver suffisamment de liquidités pour maintenir son fonds de roulement et pour avoir les fonds nécessaires à sa croissance, et ce, sans trop augmenter le ratio d'endettement de l'entreprise.

Combien d'entrepreneurs avons-nous rencontrés qui avaient laissé leur entreprise aux enfants sans percevoir leur dû ? Nombreux aussi sont ceux qui ont dû reprendre en main la gestion de l'entreprise. Quelles complications légales ! Quel gâchis !

Prenons l'exemple de cet entrepreneur qui, en 1985, a vendu l'entreprise à trois de ses six enfants, pour le prix de 8 500 000 $, soit la juste valeur marchande établie alors par l'expert-comptable. Il n'a perçu ses dividendes que durant deux années et, au début de 1989, il revenait dans l'entreprise ; les pertes accumulées depuis 1985 en avaient réduit la valeur marchande à environ 5 000 000 $. Aucune prévision financière n'avait été établie en 1985. À cela s'ajoutait la gestion incompétente des enfants et leurs mésententes. Voici ses propos :

Aujourd'hui, nos relations sont difficiles. Ils me reprochent de leur avoir vendu l'entreprise à un prix trop élevé. De ne pas les avoir aidés. De ne pas avoir choisi le bon successeur. Que de conflits familiaux ! C'est mon patrimoine qu'ils se disputent. Je veux aujourd'hui vendre l'entreprise à des étrangers. J'aurais dû, j'aurais donc dû !

207

Un tel gâchis aurait pu être évité par une planification financière adéquate, une évaluation du plan stratégique de croissance du successeur et une meilleure communication au sein du conseil de famille. Répétons-le : « La croissance de l'entreprise familiale est à la mesure de l'harmonie de la famille. »

LA STRUCTURE ET LES CONVENTIONS JURIDIQUES

Nous l'avons dit, la structure et les conventions juridiques doivent régir les interactions entre la famille et l'entreprise, tout comme elles doivent permettre aux héritiers de se regrouper au sein d'un conseil de famille et au successeur de gérer l'entreprise à l'abri des conflits familiaux. Le Tableau 29 résume ces exigences.

La structure et les conventions juridiques doivent convenir à la situation présente et respecter les souhaits de l'entrepreneur et des héritiers. Elles doivent aussi tenir compte de l'évolution de la famille avec les générations futures. La structure et les conventions juridiques doivent aussi éliminer l'ingérence de la famille dans l'entreprise, **autant aujourd'hui que demain**.

Quelles considérations doit-on prévoir aux conventions entre les propriétaires qui permettront de garder l'entreprise **à l'abri des conflits familiaux** ? On peut, par exemple, penser à des mesures telles qu'établir par convention entre les héritiers la délégation de leur droit de vote sur certaines décisions, accorder au directeur général un droit de veto, etc., bref, on doit assurer l'autonomie managériale du successeur.

Par exemple, le Groupe Jean Coutu a adopté les mesures suivantes, et voici les propos de M. Jean Coutu à ce sujet :

> *Pour ne pas donner dans l'erreur de nos ancêtres qui morcelaient leur terre suivant le nombre d'enfants et pour éviter les frictions entre nos enfants tout en leur conservant l'égalité financière, nous*

Tableau 29

LA STRUCTURE ET LES CONVENTIONS JURIDIQUES

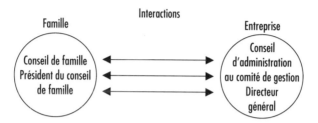

- Faire appel à un conseiller juridique capable de travailler en équipe et de comprendre les dimensions humaines de la préparation de la relève et de la planification successorale ;

- Établir une structure qui permet à la famille de vivre sa mission propre, par l'entremise du conseil de famille ;

- Établir une structure qui permet à l'entreprise de vivre pleinement sa mission propre, par l'entremise du conseil d'administration ou du comité de gestion, soit de « faire des affaires » à l'abri des conflits familiaux ;

- Établir une structure qui régit les interactions entre l'entrepreneur, le directeur général (successeur) et les héritiers ainsi qu'entre le conseil de famille et le conseil d'administration ou le comité de gestion ;

- Définir les modalités de transition en collaboration avec le conseiller en gestion, l'expert-comptable et le fiscaliste et établir les divers documents juridiques (contrats, remaniement du capital-actions, conventions, restrictions, garanties, endossements, conventions d'emploi, fiducie, délégation du droit de vote, droit de veto, testaments, annulation des endossements, mandats d'inaptitude, etc.).

avons décidé de donner un vote prioritaire à celui qui devait prendre la succession de la compagnie. Ce vote n'est pas un veto, mais oblige le successeur à être toujours dans la majorité, autrement il n'y a pas de décision et il faut recommencer. Ainsi, nous obligeons le successeur à prendre des décisions que la majorité des héritiers accepte et en même temps nous évitons des affrontements, des frictions et même des poursuites judiciaires, qui trop souvent ont détruit, en plus de l'harmonie familiale, un héritage matériel qui avait pris des années à se bâtir.

Il faut aussi prévoir des restrictions quant à la **disposition des actions**. Quand, comment et à qui les héritiers pourront-ils vendre leurs actions ? Les autres héritiers seront-ils tenus de les acheter ? À quel prix ? Quelles seront les modalités ? Au décès des héritiers, les actions pourront-elles être léguées aux conjoints ? Aux enfants ?

Les mésententes étant possibles, voire probables, il y a aussi lieu de spécifier, outre la voie judiciaire, d'autres modes de **règlement des conflits** : mini-procès, avis consultatif, conciliation, médiation, arbitrage, etc. Ces derniers facilitent et accélèrent souvent le règlement de conflits, tout en n'excluant aucunement le recours aux tribunaux pour des fins conservatoires ou autres. Elles offrent aussi l'avantage d'éviter d'aller sur la place publique.

Les conventions incluront les considérations usuelles et toute autre considération appropriée à la situation. Il est cependant important que ces conventions entre les héritiers – les futurs propriétaires de l'entreprise – soient **établies** et **signées** du vivant de l'entrepreneur, au moment de la transition de l'entreprise. Après le décès de l'entrepreneur, il sera toujours plus difficile d'y arriver.

Lors d'un séminaire que nous présentions à Granby sur la gestion des entreprises familiales, le notaire Lise Gendreault nous indiquait que seulement 25 % des projets de conventions préparés à la demande d'entrepreneurs sont effectivement **signés**. Les autres sont **oubliés** ! D'autres conseillers juridiques nous ont aussi souligné la grande résistance des entrepreneurs à signer des conventions entre propriétaires.

Plus encore, lors d'un autre séminaire que nous présentions à Chambly, un expert-comptable nous disait : « J'ai plus de 25 années de pratique et je n'ai jamais vu les héritiers signer une convention entre propriétaires lors d'un gel successoral. » Il ne faut alors pas se surprendre des difficultés rencontrées ultérieurement dans la gestion de l'entreprise familiale.

Nous pensons à cette situation pour laquelle un expert nous a consulté. Deux associés étaient copropriétaires d'une grande entreprise ; le premier possédait les trois quarts des actions votantes et le second l'autre quart. Il y a plusieurs années, les deux associés avaient effectué un gel successoral ; le premier en faveur de ses quatre enfants et le second, en faveur de son fils unique. Aucune convention n'avait été alors établie entre les héritiers et aucun d'eux ne travaillait ni ne travaille aujourd'hui dans l'entreprise familiale.

Il y a environ une année, l'associé qui détenait les trois quarts des actions votantes est décédé. Le second associé, seul gestionnaire en place possédant la compétence de gérer l'entreprise, n'a plus les coudées franches, car les héritiers du premier associé veulent intervenir : un héritier veut vendre l'entreprise, un autre veut venir y travailler. On tente aujourd'hui de les amener à signer une convention entre propriétaires. Le processus est ardu. Qu'arrivera-t-il si l'un des héritiers décède ? On peut facilement imaginer que la complexité légale croîtra encore davantage.

De plus à la suite du gel successoral, les héritiers se sont **enrichis sur papier**, mais quelle fut leur surprise d'apprendre ce que coûteraient leurs impôts à leur décès. Aucun d'eux ne dispose des sommes nécessaires ; aucune assurance-vie n'avait été contractée par les deux associés.

Ce genre de situation est malheureusement trop fréquent. Un conseiller compétent parvient souvent à régler les litiges avant que des batailles juridiques ne soient envisagées. Mais il est tellement plus difficile de faire, après le décès de l'entrepreneur, ce qui aurait dû être fait de son vivant. Acheter la paix coûte souvent cher.

Qu'arrive-t-il si l'entrepreneur est garant de certains prêts ? Doit-on obtenir l'annulation de ces endossements ? Est-ce possible ? Doit-on prévoir les modalités de retour de l'entrepreneur s'il juge que les résultats financiers de l'entreprise se dégradent ? L'entrepreneur aura-t-il à avancer des fonds personnels à l'entreprise ?

Qu'arrive-t-il si l'entrepreneur a divorcé ou divorce ? Si des héritiers divorcent après avoir acquis la propriété de l'entreprise ? Il faut prévoir ces éventualités et savoir que si un conjoint a contribué à l'enrichissement de l'entreprise, il peut revendiquer par le truchement de la prestation compensatoire un montant d'argent ou même une participation à la propriété de l'entreprise. La législation actuelle et la fréquence des divorces expliquent peut-être la décision de nombreux entrepreneurs et héritiers de ne pas inclure les conjoints dans le regroupement familial et de prévoir des restrictions quant au transfert des actions de l'entreprise.

Par ailleurs, certaines entreprises familiales choisissent d'inviter les conjoints à participer à la propriété de l'entreprise. Bombardier serait-elle ce qu'est aujourd'hui cette entreprise si Laurent Beaudoin n'avait pu en prendre la direction ? Écoutons Ève Morin des magasins J. B. Lefebvre ltée nous parler de l'arrivée de son conjoint dans l'entreprise familiale :

> *Après avoir réussi à apprendre à travailler avec ma mère, j'ai trouvé le moyen de convaincre en 1986 mon mari Pierre à venir travailler chez J. B. Lefebvre. L'expérience de Pierre dans la vente et le marketing remplissait un besoin de plus en plus pressant. Nous formions une équipe beaucoup plus complète et plus dynamique, ce qui nous a poussé vers de nouveaux horizons. Le ménage à trois fonctionne très bien. Mon mari se glorifie d'être possiblement le seul homme en Amérique du Nord à travailler à la fois avec sa femme et sa belle-mère. Une des conditions à son embauche était son actionnariat éventuel dans J. B. Lefebvre ltée. Mes frères et moi étions alors actionnaires à parts égales à la suite d'un roulement successoral. L'arrivée d'un nouvel actionnaire nous a permis de connaître les motivations et les objectifs de chacun des membres de la famille.*

Lorsque plusieurs individus se partagent ou se partageront la propriété de l'entreprise – couple, frères, étrangers, etc. – une bonne structure juridique et de solides conventions entre propriétaires sont essentielles. Dans un article paru dans la revue *L'Entreprise* d'octobre-novembre 1990 sous le titre « Travailler avec son frère », deux frères disent :

> *La rivalité fraternelle est tout sauf insurmontable. À condition de partir sur de saines bases contractuelles, comme de vrais associés. Simplement, cela implique davantage de discipline et de rigueur intellectuelle qu'entre deux co-contractants ordinaires. Car l'affectivité ne doit jamais tenir lieu d'alibi (« Je suis tyrannique, mais je t'aime ») ou d'excuse (« Tu es incompétent, mais je te garde »).*

213

Quand le « contrat » d'association est clair, tout le reste en découle : partage des tâches et des rôles, processus de consultation et de décision, droit de veto ou d'arbitrage.

Nous voulons éviter de proposer des recettes miracles ; chaque situation est unique et la structure ainsi que les conventions juridiques doivent correspondre aux souhaits de l'entrepreneur et aussi tenir compte des attentes et des capacités des héritiers. La structure juridique est le résultat d'une **création sur mesure**.

CHAPITRE 6

LA PLANIFICATION STRATÉGIQUE ET LA CROISSANCE DE L'ENTREPRISE FAMILIALE : POUR UNE GESTION STRATÉGIQUE CONTINUE

Nous ne voulons pas reprendre l'explication des nombreux outils de gestion que peuvent utiliser les entreprises d'aujourd'hui ; cependant, nous avons choisi de discuter de la **planification stratégique** pour deux raisons principales : premièrement, la planification stratégique est mal connue des PME, soient-elles familiales ou non et, deuxièmement, la planification stratégique requiert une approche particulière au sein de l'entreprise familiale.

En janvier 1993, nous avons présenté une session de formation aux experts de la *Banque fédérale de développement*. Des conseillers de toutes les provinces canadiennes y participaient, dont un grand nombre étaient des experts en planification stratégique. Nous avons expliqué que l'élaboration du plan stratégique d'une entreprise familiale nécessite de tenir compte des considérations familiales. John M. Pigott, président du conseil et chef de la direction de Morrison Lamothe inc. – une entreprise familiale – et président national de l'*Association canadienne des entreprises familiales*, leur a tenu les mêmes propos.

Nous présentons dans ces pages **notre approche** à la planification stratégique de la PME familiale, approche qui correspond à notre vision et à notre expertise, approche qui tient aussi compte du peu de familiarité des PME avec le sujet ainsi que de l'évolution des connaissances du domaine.

LA PLANIFICATION STRATÉGIQUE : QU'EN EST-IL ?

Planifier, c'est décider aujourd'hui de ce qu'on veut être demain et des moyens à prendre pour y arriver. À ce titre, la **planification stratégique** de l'entreprise, soit-elle familiale ou non, est d'abord un **processus d'analyse**. On analyse d'abord **l'environnement** dans lequel évolue l'entreprise – on identifie les **stratégies concurrentielles opportunes** selon les **opportunités** et les **menaces** de l'environnement. On analyse ensuite les **forces et les faiblesses concurrentielles de l'entreprise** – on identifie les **stratégies concurrentielles adéquates** – ainsi que les **forces et les faiblesses organisationnelles** de l'entreprise. C'est aussi un **processus de décision** où l'on définit la **mission** de l'entreprise, les **objectifs** à atteindre, la **stratégie concurrentielle**, les **actions stratégiques** et les **outils de contrôle**. Le Graphique 10 montre ce cheminement.

La **stratégie concurrentielle** – celle **retenue** parmi toutes les stratégies concurrentielles opportunes et adéquates – oriente le choix des actions stratégiques à mettre en œuvre pour satisfaire la demande et faire face à la concurrence ; ce sont les gestes que pose l'entreprise pour réaliser sa **mission** et **atteindre** ses objectifs. **L'implantation de la stratégie concurrentielle nécessite de coordonner les différentes fonctions de**

Graphique 10

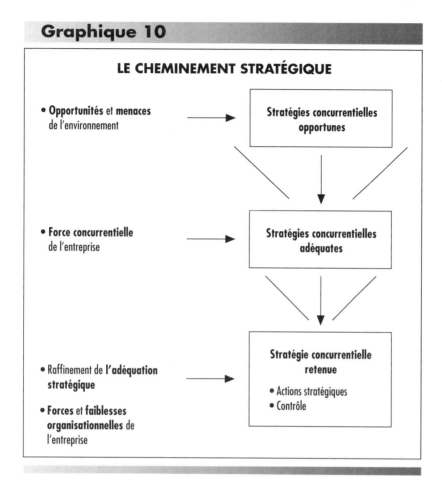

l'entreprise – **marketing, ressources humaines, production** et **finances**.

L'importance de la planification stratégique

Une recherche de J. L. Ward démontre que, des 200 entreprises familiales américaines dont il a analysé l'évolution au cours de la période allant de 1924 à 1984, 13 % appartenaient encore à la famille en 1984, et seulement 3 % avaient significativement prospéré. Il écrivait :

217

Ces entreprises (qui ont prospéré) avaient renouvelé ou régénéré leurs stratégies plusieurs fois au cours des soixante années étudiées. Elles ont ajouté de nouvelles stratégies à celles du passé pour répondre, lorsque nécessaire, aux pressions du marché et de la concurrence.

... les entreprises qui prospèrent sont celles qui planifient activement et implantent de nouvelles stratégies selon l'évolution de l'environnement. Les entreprises à succès analysées avaient continuellement recherché le changement.

Le message est clair : d'une part, la planification stratégique est essentielle à la croissance de l'entreprise familiale, voire à sa survie et, d'autre part, il faut adopter les « **bonnes** » stratégies et poser les « **bons** » gestes, selon l'évolution de l'environnement. Plus encore, on doit « **continuellement** » remettre ses acquis en question.

Le journal *La Presse* du 25 mars 1993 résumait l'histoire d'Omer DeSerres, une entreprise familiale « qui en trois générations a changé quatre fois de vocation ». On y cite les propos de Marc DeSerres : « On dit aujourd'hui d'Omer DeSerres que c'est une entreprise jeune et florissante. Il y a 20 ans, c'était aussi le cas. » Il ajoute : « Nous avons suivi le client plutôt que le produit. »

Au sein de l'entreprise familiale : le processus à suivre

Au sein de l'entreprise familiale, la planification stratégique doit tenir compte de la **vision du clan familial** quant à la famille et quant à l'entreprise, de l'**engagement des héritiers**, des **rôles de l'entrepreneur et des héritiers** et de la **culture organisationnelle**. Ainsi, au sein de l'entreprise familiale, des considérations particulières s'ajoutent au processus usuel de la planification stratégique.

Nous proposons huit étapes à l'élaboration du **plan stratégique** de l'entreprise familiale :

1. Vision du clan familial et engagement des héritiers.

2. Définition de la mission de l'entreprise et établissement des objectifs d'affaires.

3. Analyse de l'environnement (demande et concurrence) et identification des stratégies concurrentielles opportunes selon les opportunités et menaces.

4. Évaluation des forces et faiblesses concurrentielles de l'entreprise et identification des stratégies concurrentielles adéquates.

5. Diagnostic des forces et faiblesses organisationnelles de l'entreprise, révision des rôles de l'entrepreneur et des héritiers et considération de la culture organisationnelle.

6. Choix et implantation de la stratégie concurrentielle.

7. Contrôle de l'évolution et des résultats.

8. Gestion stratégique continue.

Le Graphique 11 montre ces étapes.

LA VISION DU CLAN FAMILIAL ET L'ENGAGEMENT DES HÉRITIERS

Le clan familial doit définir sa **vision** de la famille et de l'entreprise :

- Comment voit-on le rôle de la famille ? La contribution de la famille à l'entreprise ?

- Comment voit-on le rôle de l'entreprise ? La contribution de l'entreprise à la famille ?

Graphique 11

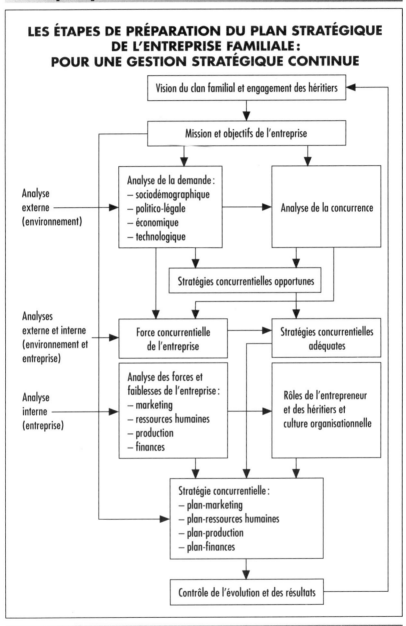

**LES ÉTAPES DE PRÉPARATION DU PLAN STRATÉGIQUE DE L'ENTREPRISE FAMILIALE :
POUR UNE GESTION STRATÉGIQUE CONTINUE**

Vision du clan familial et engagement des héritiers

Mission et objectifs de l'entreprise

Analyse externe (environnement)

Analyse de la demande :
– sociodémographique
– politico-légale
– économique
– technologique

Analyse de la concurrence

Stratégies concurrentielles opportunes

Analyses externe et interne (environnement et entreprise)

Force concurrentielle de l'entreprise

Stratégies concurrentielles adéquates

Analyse interne (entreprise)

Analyse des forces et faiblesses de l'entreprise :
– marketing
– ressources humaines
– production
– finances

Rôles de l'entrepreneur et des héritiers et culture organisationnelle

Stratégie concurrentielle :
– plan-marketing
– plan-ressources humaines
– plan-production
– plan-finances

Contrôle de l'évolution et des résultats

- Comment voit-on la croissance de l'entreprise ? Quelle image a-t-on de l'entreprise dans 1 an ? dans 5 ans ? dans 10 ans ? dans 20 ans ? Voit-on l'entreprise se perpétuer de génération en génération ?
- Quel est le credo du clan familial ? Quelles valeurs et croyances partage-t-on ? Quant à la famille ? Quant à l'entreprise ?

La vision du clan familial oriente la mission de la famille et de la relève. Par exemple, on peut convenir que la relève a pour mission « **de transmettre l'entreprise à ses descendants, de génération en génération** » (voir Le conseil de famille). Elle oriente aussi l'évolution de l'entreprise – sa mission et ses objectifs.

Toute entreprise familiale vit son évolution selon la vision de ses dirigeants – d'abord celle de l'entrepreneur et, plus tard, celle du clan familial. Ce sont les êtres humains qui planifient, décident et agissent. Nous n'avons jamais « serré la main » ou « discuté » avec une entreprise ; nous avons, par contre, écouté des entrepreneurs et des héritiers parler de la **mission** et des **objectifs** de « leur » entreprise, de « leurs » **stratégies**.

Par ailleurs, pour que les héritiers – futurs propriétaires de l'entreprise familiale – puissent s'**engager** vraiment, l'entrepreneur doit d'abord préparer sa relève et planifier sa succession, en les invitant à être non pas de simples employés qui exécutent leur travail sous sa direction, mais des collaborateurs pour façonner la **vision** du **clan familial**.

D'une part, il appartient à l'**entrepreneur** de répondre à ces quelques questions :

- Accepte-t-il de favoriser la gestion participative ? De préparer sa relève ? De bâtir son clan familial ? De convenir d'une vision qui tient

221

compte des intérêts, attentes et souhaits des héritiers ?

- Reconnaît-il la motivation et les capacités des héritiers ? Fait-il confiance à la nouvelle génération ?

- Accepte-t-il de partager ses rôles, pouvoirs et responsabilités avec ses héritiers ?

- Accepte-t-il de faire croître l'entreprise ?

- Veut-il imposer des restrictions quant à l'évolution de l'entreprise ? Quant à sa croissance ? Quant à sa gestion ? Quant à son endettement ?

- Accepte-t-il de planifier sa succession ? D'établir la modalité de partage ? Les modalités de transition du leadership, de la propriété et du contrôle ? De prévoir les conséquences fiscales à son décès ?

D'autre part, il appartient aux **héritiers** de répondre à ces quelques questions :

- Veulent-ils de l'entreprise ? En être les gestionnaires ? En être les copropriétaires ?

- Acceptent-ils de s'engager ? De mettre le temps nécessaire pour en arriver à partager une vision commune ? De favoriser la gestion participative ?

- Reconnaissent-ils l'apport de l'entrepreneur ? Savent-ils profiter de son expérience ?

- Veulent-ils et peuvent-ils travailler ensemble ? Sous un même toit ? Reconnaissent-ils la motivation et les capacités de leurs sœurs et frères ? Acceptent-ils le leadership d'une sœur ou d'un frère ? Souhaitent-ils plutôt gérer seuls « leur » secteur de l'entreprise ? Leur entreprise ?

- Acceptent-ils de planifier leur gestion ? D'établir un plan stratégique de croissance ? De fournir les efforts requis pour mener à bon terme les projets de croissance ?

- Acceptent-ils qu'on évalue leur performance ?
- Reconnaissent-ils le rôle du conseil de famille ? Le rôle du conseil d'administration ou du comité de gestion ? Les droits de contrôle de l'entrepreneur ?

Avant même de passer aux autres étapes du **plan stratégique** de l'entreprise familiale, on doit discuter ces quelques questions – quant à la **vision** du clan familial et à l'**engagement** des héritiers – et y trouver des réponses **en conseil de famille**. On ne peut autrement en arriver à **décider**, à définir la **mission** et les **objectifs** de l'entreprise, pour ensuite **agir ensemble**.

LA MISSION DE L'ENTREPRISE ET LES OBJECTIFS D'AFFAIRES

On doit aussi convenir de la **mission** de l'entreprise – le cadre dans lequel s'accomplissent les activités de l'entreprise – et des **objectifs** visés par ces activités – les objectifs de l'entreprise. La mission de l'entreprise doit aussi favoriser l'**engagement** de toutes les ressources humaines de l'entreprise, membres de la famille ou non.

La mission

Définir la **mission** de l'entreprise, c'est décider de ce qu'est et sera l'entreprise et résumer en quelques phrases les choix stratégiques des dirigeants. En fait, la **mission** de l'entreprise peut, à ce stade, sembler floue, vague ; elle sera revue et précisée au cours du processus.

J. B. Quinn, dans son livre *Strategies for Change : Logical Incrementalism*, publié en 1980, donne cet exemple d'une entreprise britannique de fabrication de verre :

*Une entreprise mondiale de verre, diversifiée, inno-
vatrice, à la fine pointe de la technologie, fortement positionnée dans le secteur du verre plat au
sein de pays choisis pour leur développement et
de l'Empire britannique, opérant selon un style
de gestion fortement décentralisé, exerçant des
efforts centralisés d'innovation, encourageant le
professionnalisme dans sa gestion et dans ses
relations avec ses employés, qui veut croître à un
rythme annuel de 15 % avec un retour sur l'investissement avant taxes, équivalant à au moins le
premier tiers du secteur mondial d'affaires.*

C'est plus que dire : « ... une entreprise mondiale
de fabrication de verre plat. » On retrouve dans ce bel
exemple de mission d'entreprise, les principales **décisions stratégiques** des dirigeants :

- les objectifs d'affaires ;
- les compétences distinctives ;
- le style de gestion ;
- le couple produit (ou service)-marché ;
- les critères de sélection de nouveaux marchés ;
- les responsabilités de l'entreprise envers ses
  propriétaires, employés et clients.

La mission de l'entreprise familiale dépend des
objectifs d'affaires des dirigeants ; elle reflète aussi les
valeurs, les croyances et la vision du clan familial. C'est
le point de départ de la planification stratégique ; moins
précise au début, elle le devient davantage au cours du
processus, selon les choix qui sont faits.

Le couple produit ou service-marché

L'exemple de mission de cette entreprise britannique
donné plus haut expose clairement son couple produit-
marché :

224

...dans le secteur du verre plat au sein de pays choisis pour leur développement et de l'Empire britannique, ...

Donnons aussi l'exemple d'une PME du domaine de la construction qui décrit ainsi son couple produit-marché :

...des résidences unifamiliales prestigieuses, de design personnalisé, dans les villes de la banlieue de Montréal où la population est en croissance et dont le revenu des habitants est supérieur à la moyenne, ...

Ainsi, les dirigeants de cette entreprise savent ce qu'est le produit : *des résidences unifamiliales prestigieuses, de design personnalisé.* Ils savent aussi où est le marché-cible : *les villes de la banlieue de Montréal où la population est en croissance et dont le revenu des habitants est supérieur à la moyenne.* C'est une région géographique, un segment particulier des villes québécoises. Ils peuvent, à partir du couple produit-marché de l'entreprise, établir les critères de sélection de nouveaux marchés : taux de croissance de la population, niveau de revenus des habitants, etc.

Les objectifs d'affaires

On ne peut établir la mission de l'entreprise sans connaître les **objectifs d'affaires** du clan familial – les objectifs de l'entreprise – en termes d'accroissement du chiffre d'affaires et de rentabilité. Que veut-on défendre ? Que veut-on gagner ? Montaigne n'a-t-il pas déjà écrit : **« À celui qui n'a pas de port, le vent n'est jamais favorable.** »

L'étude des professeurs R. Tagiuri et J. A. Davis, publiée dans le *Family Business Review* du printemps 1992, analyse les **objectifs d'affaires** de plus de 500 propriétaires et gestionnaires d'entreprises familiales américaines. Voici huit **objectifs d'affaires** jugés essentiels et majeurs par la majorité d'entre eux :

- *Faire des profits maintenant ;*
- *Atteindre l'excellence dans le secteur d'affaires ;*
- *Faire des profits plus tard ;*
- *Fournir un «bon» service aux clients ;*
- *Avoir un service de « qualité » ;*
- *Établir et maintenir une image particulière de l'entreprise ;*
- *Avoir un produit de qualité ;*
- *Développer des produits ou services vendables et rentables.*

Les **objectifs** doivent, c'est certain, tenir compte de l'**urgence de la situation**. Par exemple, une entreprise dont les résultats financiers sont désastreux aura d'abord pour objectif d'accroître sa rentabilité et son autonomie financière ; les choix stratégiques découlent alors de cet objectif.

Les **objectifs** doivent être **réalistes**, c'est-à-dire qu'ils doivent tenir compte des opportunités et des menaces de l'environnement, de même que des forces et des faiblesses de l'entreprise. Les **objectifs** doivent aussi être **communiqués**; nous verrons que les choix stratégiques qu'adopte l'entreprise doivent permettre d'articuler et d'optimiser l'effort combiné des fonctions de l'entreprise – **marketing**, **ressources humaines**, **production** et **finances**. Il est clair que l'on doit définir les objectifs et prendre les moyens pour les atteindre en tenant compte de chacune des fonctions de l'entreprise. Pour y arriver, les **objectifs** sont « **opérationnalisés** » lors du choix des actions stratégiques.

Par ailleurs, des **objectifs clairs**, **précis** et **mesurables** permettent d'évaluer l'efficacité du **plan stratégique**.

Le chiffre d'affaires a-t-il augmenté autant que prévu ? Les coûts ont-ils dépassé les prévisions ? La rentabilité planifiée s'est-elle réalisée ? La performance de chaque héritier, de chaque cadre supérieur, est-elle adéquate ? Chaque fonction de l'entreprise est-elle remplie ? Chaque action stratégique est-elle efficace ? Quelles sont les causes d'un écart positif ? D'un écart négatif ? Que doit-on maintenir ? Que doit-on renforcer ? Que doit-on changer ?

Au cours du processus de planification, les **objectifs** sont revus et précisés. Combien ? Où ? Quand ? Et, bien que flous au départ, ils reflètent tout de même la vision du clan familial quant à l'évolution de l'entreprise.

Conscients de la **mission** et des **objectifs** de l'entreprise, bien qu'encore imprécis, on s'intéresse ensuite à l'environnement dans lequel évolue l'entreprise.

L'ANALYSE DE L'ENVIRONNEMENT ET LES STRATÉGIES CONCURRENTIELLES OPPORTUNES

On analyse **l'environnement** – **la demande** et **la concurrence** – et on détermine, selon les **opportunités** et les **menaces**, les **stratégies concurrentielles opportunes**.

L'analyse de la demande

L'environnement change avec le temps. Ainsi, la demande change aussi avec le temps ; il importe de reconnaître tous les changements susceptibles d'affecter l'entreprise.

On s'intéresse à chaque dimension de l'environnement – sociodémographique, politico-légale, économique et technologique – afin d'identifier les **opportunités** et les **menaces** qui concernent chaque couple produit-marché ou service-marché de l'entreprise :

227

- **Sociodémographique :** besoins des consommateurs, raisons d'achat, vieillissement de la population, niveau de scolarisation, préoccupations pour la santé, la sécurité, le travail, les loisirs, l'écologie, variations des populations, l'immigration, la femme au travail, etc.

  Quels changements des **caractéristiques de la population** et des **styles de vie** – qui surviennent aujourd'hui et surviendront demain – concernent chaque couple produit ou service-marché de l'entreprise ? Quelles opportunités y voit-on ? Quelles menaces y voit-on ? Actuelles ? Futures ?

- **Politico-légale :** nouvelles lois, exigences, politiques gouvernementales, sources et formes d'aide, normes de santé et sécurité au travail, etc.

  Quels changements de la **réglementation** et des **politiques gouvernementales** – qui surviennent aujourd'hui et surviendront demain – concernent chaque couple produit ou service-marché de l'entreprise ? Quelles **opportunités** y voit-on ? Quelles **menaces** y voit-on ? Actuelles ? Futures ?

- **Économique :** niveaux et variations de la demande, affiliations et rivalités entre entreprises, fluctuations des prix, des taux d'intérêts, de l'inflation, du chômage, des revenus, de l'épargne, mondialisation des marchés, arrivée de nouveaux fournisseurs, de nouveaux concurrents, disponibilité des matières premières, exigences des institutions financières, etc.

  Quels changements **économiques** – qui surviennent aujourd'hui et surviendront demain – concernent chaque couple produit ou service-marché de l'entreprise ? Quelles **opportunités** y voit-on ? Quelles **menaces** y voit-on ? Actuelles ? Futures ?

- **Technologique :** informatisation, nouvelles technologies, nouveaux procédés de fabrication, produits substituts, etc.

  Quels changements **technologiques** – qui surviennent aujourd'hui et surviendront demain – concernent chaque couple produit ou service-marché de l'entreprise ? Quelles **opportunités** y voit-on ? Quelles **menaces** y voit-on ? Actuelles ? Futures ?

Voici quelques exemples d'**opportunités** et de **menaces** que l'on peut tirer de l'analyse de l'environnement :

- La disponibilité d'une nouvelle technologie peut être une occasion d'améliorer la qualité du produit ou du service, ou de réduire les coûts de production ;
- Le libre-échange peut être une occasion de vendre à de nouveaux marchés ou une menace aux marchés traditionnels ;
- Une nouvelle réglementation concernant le couple produit ou service-marché de l'entreprise peut être une occasion ou une menace dont il faut tenir compte ; etc.

Il faut se questionner – ce n'est jamais facile – et tenter de prévoir l'**évolution de la demande** :

- Quelles **opportunités** y voit-on ?
- Quelles **menaces** y voit-on ?
- Qui exerce des **influences** sur la demande ? Lesquelles sont majeures ?
- Quelles **tendances** y voit-on ? Lesquelles sont durables ?
- Quelles opportunités, menaces, influences et tendances **affectent l'entreprise** ? Comment ?

Avantage concurrentiel et compétence distinctive

La capacité de l'entreprise de répondre aux exigences de la demande confère à l'entreprise un **avantage concurrentiel – une force concurrentielle**. Un avantage concurrentiel, c'est une caractéristique favorable de l'offre de l'entreprise, en réponse à la demande et en comparaison avec les offres des entreprises concurrentes (facteur externe).

Un avantage concurrentiel correspond à une **compétence distinctive – une force organisationnelle**. Une compétence distinctive, c'est une caractéristique favorable de la gestion et des ressources de l'entreprise (facteur interne). Une **compétence distinctive** n'est pas nécessairement connue des clients ; ce qu'ils perçoivent, c'est l'**avantage concurrentiel**, le bénéfice qu'ils retirent de l'offre de l'entreprise en comparaison avec les offres des entreprises concurrentes.

Par exemple, si l'entreprise a une grande capacité technologique, des équipements et des outillages spécialisés – sa **compétence distinctive** –, cette force organisationnelle n'est pas nécessairement connue des clients : les clients ont rarement conscience de la capacité des équipements et des outillages de l'entreprise. Ce qu'ils perçoivent, c'est que l'entreprise sait bien faire ce qu'ils demandent, qu'elle sait produire sur mesure, qu'elle sait répondre à leurs exigences techniques particulières, bref, ils perçoivent le bénéfice – l'**avantage concurrentiel** – qu'ils retirent.

Voici, à titre d'exemples, quelques **avantages concurrentiels** qui peuvent être **gagnants** :

- image de l'entreprise ;
- pertinence de la communication ;
- rapport qualité/prix supérieur ;
- capacité de répondre aux exigences techniques des clients ;

- caractéristiques du produit ou du service ;
- qualité du service à la clientèle ; etc.

Voici, à titre d'exemples, quelques **compétences distinctives** qui peuvent être **gagnantes** (caractéristiques favorables de la **gestion** et des **ressources de l'entreprise**) :

- compétence des dirigeants ;
- main-d'œuvre qualifiée ;
- capitalisation adéquate ;
- recherche et développement soutenus ;
- souci de la réduction des coûts ;
- brevets et procédés particuliers ;
- équipements et outillages spécialisés ; etc.

Il y a aussi les faiblesses concurrentielles de l'entreprise – les **désavantages concurrentiels** et les **carences distinctives**.

Identiquement, les clients ne perçoivent pas directement une **carence distinctive**, mais perçoivent plutôt sa conséquence – le **désavantage concurrentiel**. Par exemple, les clients ne connaissent pas la structure des coûts de l'entreprise mais savent plutôt que l'entreprise vend à des prix supérieurs à ceux des entreprises concurrentes, toutes autres choses étant égales.

L'analyse de la concurrence

Les **avantages concurrentiels** et les **compétences distinctives** des entreprises concurrentes peuvent être des **opportunités** – en les imitant – ou des **menaces**, puisqu'elles offrent des produits ou des services qui peuvent réduire le chiffre d'affaires et la rentabilité de l'entreprise. Leurs **désavantages concurrentiels** et leurs **carences distinctives** peuvent identifier des voies à exploiter. Ensemble, leurs **avantages** et **désavantages**

231

concurrentiels et leurs **compétences** et **carences distinctives** définissent l'étendue de leurs **forces et faiblesses concurrentielles**.

Pour chaque couple produit ou service-marché de l'entreprise, on évalue les **forces** et **faiblesses concurrentielles** de chaque entreprise concurrente. Il importe de savoir ce que sont les avantages concurrentiels et les compétences distinctives des entreprises concurrentes. De connaître aussi leurs désavantages concurrentiels et leurs carences distinctives. Il faut tenter de prévoir l'**évolution de la concurrence** :

- Quelles **opportunités** y voit-on ?

- Quelles **menaces** y voit-on ?

- Qui exerce des **influences** sur la concurrence ? Lesquelles sont majeures ?

- Quelles **tendances** y voit-on ? Lesquelles sont durables ?

- Quelles opportunités, menaces, influences et quelles tendances **affectent l'entreprise** ? Comment ?

Les stratégies concurrentielles opportunes

On identifie les **stratégies concurrentielles opportunes** selon les **opportunités** et les **menaces** de l'environnement – la demande et la concurrence. Il faut reconnaître **toutes** les possibilités que suggère l'évolution de l'environnement.

On ne considère pas, à ce stade, la gestion et les ressources de l'entreprise; on ne s'intéresse qu'à ce qu'il est « **opportun** » de faire, à partir de l'analyse **externe**. On évaluera plus loin les ressources de l'entreprise – ses forces et faiblesses –, tant **concurrentielles** qu'**organisationnelles**.

232

Le Tableau 30 montre, à titre d'exemple, une liste de stratégies concurrentielles parmi lesquelles on identifie les **stratégies concurrentielles opportunes**.

Cette étape de l'identification des **stratégies concurrentielles opportunes** se veut créative et libre de toute contrainte. En laissant libre cours à l'imagination, on évite d'omettre des choix stratégiques et l'entreprise pourra saisir toute **opportunité** et pallier toute **menace**.

Tableau 30

**STRATÉGIES CONCURRENTIELLES :
LESQUELLES SONT OPPORTUNES ?**

- Stratégies de pénétration-domination (croissance) :
  - Expansion géographique : nouveaux marchés
  - Segmentation : nouveaux produits ou services

- Stratégies de développement-innovation (croissance) :
  - Avantage-coûts
  - Innovation technologique
  - Différenciation :
    - par l'image
    - par le produit ou le service
    - par le prix
    - par le service à la clientèle

- Stratégies de diversification (croissance) :
  - Reliées aux compétences distinctives
  - Non reliées aux compétences distinctives

- Stratégies de niche (croissance ou non-croissance) :
  - Niche géographique
  - Niche technologique

- Stratégies de retrait (décroissance)

LES FORCES ET FAIBLESSES CONCURRENTIELLES DE L'ENTREPRISE ET LES STRATÉGIES CONCURRENTIELLES ADÉQUATES

On évalue, à ce stade, la **force concurrentielle** de l'entreprise et on identifie les **stratégies concurrentielles adéquates**, parmi toutes les stratégies concurrentielles opportunes.

La force concurrentielle de l'entreprise

La **force concurrentielle** de l'entreprise dépend de la nature, de la qualité et du niveau de ses avantages et désavantages concurrentiels – en réponse à la demande et en comparaison avec ceux des entreprises concurrentes. Instinctivement, on reconnaît que les **caractéristiques du produit ou du service**, l'**image de l'entreprise**, la **communication**, le **prix**, la **distribution**, le **service à la clientèle**, etc., bref toutes les caractéristiques de l'offre de l'entreprise et de celles des entreprises concurrentes – qui sont ou peuvent être des avantages ou des désavantages concurrentiels – doivent être comparées.

Il importe de savoir lesquelles de ces caractéristiques influencent les décisions d'achat des clients et l'importance de chacune. Plus encore, il faut se soucier de leurs interactions. Par exemple, le **rapport qualité/prix** peut prendre une signification plus importante aux yeux des clients que le prix ou la qualité, considérés séparément.

Pour comparer et établir la force concurrentielle de l'entreprise, on n'a d'autre choix que de connaître l'opinion des clients. Il faut en arriver à savoir ce qu'ils veulent – le marché-cible – et à connaître leur évaluation de l'offre de l'entreprise par rapport aux offres des entreprises concurrentes.

Les stratégies concurrentielles adéquates

Les **stratégies concurrentielles opportunes** ont été identifiées à partir des **opportunités** et des **menaces** de l'environnement – la demande et la concurrence. On identifie les **stratégies concurrentielles adéquates**, parmi les stratégies concurrentielles opportunes, selon la force concurrentielle de l'entreprise : on ne retient que celles qui peuvent être « **adéquates** », compte-tenu des **forces** et des **faiblesses concurrentielles** de l'entreprise. C'est ce que l'on appelle « **l'adéquation stratégique** ».

Le Graphique 12 présente, à titre d'exemples, quelques **stratégies concurrentielles** qui, d'une part, peuvent être « **opportunes** » selon l'attrait de l'environnement et, d'autre part, peuvent être « **adéquates** » selon la force concurrentielle de l'entreprise (nature, qualité et niveau des **avantages** et **désavantages concurrentiels** de l'entreprise, en réponse à la demande et en comparaison avec ceux des entreprises concurrentes).

On réalise que, dans certaines situations, on devra penser **décroissance** (stratégies de retrait) plutôt que **croissance**. Malheureusement, si on n'a pas vu venir l'effondrement de la demande et si on n'a pas su maintenir la force concurrentielle de l'entreprise, on n'a d'autre choix que de tenir compte de ces conditions difficiles. La **gestion stratégique continue** peut permettre d'éviter d'en arriver à un tel « **cul-de-sac** ». Dans certaines autres situations, on pourra penser **non-croissance** (stratégies de niche).

Le Graphique 12 facilite la compréhension des influences de la demande et de la force concurrentielle de l'entreprise sur ses choix stratégiques. Il est suggéré de préciser toutes les **stratégies concurrentielles adéquates** ; il faudra plus tard décider et retenir la « bonne » **stratégie concurrentielle**.

Graphique 12

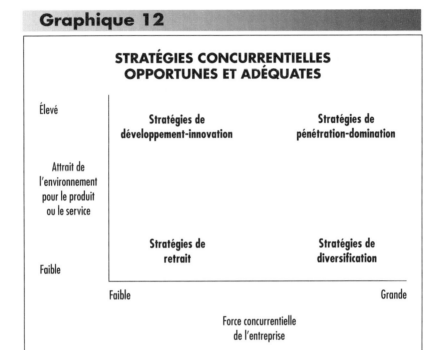

STRATÉGIES CONCURRENTIELLES OPPORTUNES ET ADÉQUATES

Élevé

   Stratégies de   **Stratégies de**
  développement-innovation   **pénétration-domination**

Attrait de
l'environnement
pour le produit
ou le service

   Stratégies de   **Stratégies de**
    retrait   **diversification**

Faible

Faible   Grande

Force concurrentielle
de l'entreprise

LES FORCES ET FAIBLESSES ORGANISATIONNELLES DE L'ENTREPRISE, LES RÔLES DE L'ENTREPRENEUR ET DES HÉRITIERS, ET LA CULTURE ORGANISATIONNELLE

Les forces et faiblesses organisationnelles de l'entreprise, les rôles de l'entrepreneur et des héritiers, et la culture organisationnelle de l'entreprise familiale influencent – qu'on le veuille ou non – le choix de la **stratégie concurrentielle**.

Le diagnostic des forces et faiblesses organisationnelles de l'entreprise

Quand on évalue les **forces** et **faiblesses organisationnelles** de l'entreprise, il importe de prendre conscience

236

des **moyens** dont dispose l'entreprise. **Plus de 90 % des échecs en affaires sont causés par des carences de gestion**. Il faut aussi comprendre que les **forces** et **faiblesses organisationnelles** de l'entreprise influent sur ses **forces** et **faiblesses concurrentielles** – ses avantages et désavantages concurrentiels et ses compétences et carences distinctives.

On diagnostique les forces et faiblesses organisationnelles de l'entreprise en analysant méthodiquement chacune des fonctions de l'entreprise : **marketing, ressources humaines, production** et **finances**.

Le marketing

L'analyse des forces et faiblesses de la fonction marketing comprend l'évaluation :

- de l'évolution du chiffre d'affaires : par produit ou service, par segment de marché, par canal de distribution, etc. ;
- des politiques et pratiques de marketing : caractéristiques du produit ou du service, prix, qualité, garantie, image de l'entreprise, publicité, promotion, canaux de distribution, efforts de vente, service à la clientèle, modes et délais de livraison, conditions de paiements, etc.

Les ressources humaines

L'analyse des forces et faiblesses de la fonction ressources humaines comprend l'évaluation :

- de la structure organisationnelle, des compétences, etc. ;
- de la culture organisationnelle, du style de

237

leadership, des modes de gestion, du climat, etc. ;

- des politiques et pratiques de gestion des ressources humaines, etc.

La production

L'analyse des forces et faiblesses de la fonction production comprend l'évaluation :

- de la capacité, des procédés, de la qualité, etc. ;
- de la recherche et développement, etc. ;
- des équipements, des outillages, etc. ;
- des fournisseurs, des achats, des stocks, etc. ;
- des prix de revient, des coûts directs et indirects, etc. ;
- des politiques et pratiques de production, etc.

Les finances

L'analyse des forces et faiblesses de la fonction finances comprend l'évaluation :

- de la structure financière : sources de financement, endettement, disponibilité de fonds, etc. ;
- de l'évolution des résultats financiers et des ratios financiers, de la contribution de chaque produit ou service, etc. ;
- des systèmes comptables, de la technologie et des systèmes d'information, etc. ;
- des politiques et pratiques financières, etc.

Bref, le **diagnostic des forces et faiblesses organisationnelles** de l'entreprise établit l'étendue des **moyens** dont dispose l'entreprise pour implanter la stratégie concurrentielle. Ces moyens sont-ils adéquats ? Certaines politiques ou pratiques sont-elles à revoir ?

238

Clarifier les rôles de l'entrepreneur et des héritiers

Il importe de connaître les capacités individuelles de chaque héritier. Nous en avons longuement discuté tout au long de notre ouvrage. L'engagement et la performance de chaque héritier lors du processus de la planification stratégique peuvent être une indication de sa motivation et de ses capacités.

D'autre part, l'efficacité du **successeur**, lors du processus de la planification stratégique, à intégrer et coordonner les efforts des autres héritiers à l'emploi de l'entreprise et des cadres supérieurs est une indication de son leadership. Nous l'avons dit, on doit favoriser la gestion participative. Toutefois, il faut reconnaître que le processus de la planification stratégique est exigeant, et accorder au successeur l'assistance d'un conseiller en gestion compétent qui saura le guider.

Pour implanter la **stratégie concurrentielle**, des compétences sont requises. Quel sera le rôle de l'entrepreneur ? Quels seront les rôles des héritiers ? Les héritiers ont-ils les capacités nécessaires ? Doit-on penser à l'embauche d'un gestionnaire externe ? Pendant combien de temps ?

Renforcer la culture organisationnelle

Plus encore, il faut comprendre que la culture organisationnelle de l'entreprise familiale – ses valeurs et croyances – influence aussi le choix de la **stratégie concurrentielle**. Nous avons parlé de deux types différents de cultures propres aux entreprises familiales: **la famille centrée sur l'entreprise et l'entreprise centrée sur la famille**. Chacune de ces cultures a entraîné et entraînera des choix stratégiques différents.

Dans la situation où l'**entreprise est centrée sur la famille**, les membres de la famille occupent les postes de direction et prennent toutes les décisions majeures. On choisira alors la **stratégie concurrentielle** en fonction, bien sûr, du succès de l'entreprise, mais aussi en fonction du bien-être des membres de la famille.

Dans la situation où la **famille est centrée sur l'entreprise**, le succès de l'entreprise primera ; succès étant alors souvent synonyme de croissance. Dans un tel cas, si les membres de la famille n'ont pas les capacités requises, on aura instinctivement embauché des cadres supérieurs pour occuper les postes de direction. On choisira alors la **stratégie concurrentielle** en fonction du succès de l'entreprise – sa croissance.

La culture organisationnelle de l'entreprise familiale influence aussi le choix des actions stratégiques lors de l'implantation de la **stratégie concurrentielle**. Dans le premier cas, ces choix seront d'abord faits **par la famille** et **pour l'entreprise et la famille** ; dans le second cas, ces choix seront d'abord faits **par l'entrepreneur**, les **cadres supérieurs et les héritiers à l'emploi de l'entreprise**, et **pour l'entreprise**.

Le **clan familial** comprend-il et accepte-t-il la culture organisationnelle de l'entreprise ? Comprend-il les influences de la culture sur les choix stratégiques ? Les héritiers partagent-ils cette vision ? Veulent-ils des changements ? En a-t-on discuté ? Sont-ils tous d'accord ? Quoi qu'il en soit, la culture organisationnelle de l'entreprise doit être forte : **la force de la culture de l'entreprise familiale – la communion des valeurs et croyances – est le tissu de son succès**.

LA STRATÉGIE CONCURRENTIELLE : CHOIX ET IMPLANTATION

La planification stratégique prend vraiment toute sa signification lorsque l'on passe à l'action. « **Il y a un temps pour prédire, et il y a un temps pour agir.** » À ce titre, ne devrait-on pas parler de **gestion stratégique** plutôt que de planification stratégique ?

Préciser la mission et les objectifs de l'entreprise

Si on veut faire plus que de laisser faire le temps, plus qu'aller sur son erre, afin d'éviter d'être victime des variations de la demande et des agissements de la concurrence, il importe de **décider** et d'**agir ensemble**. **Pour décider** et **agir ensemble** il faut, nous l'avons dit, que le clan familial partage une **vision commune** quant à la **mission** et aux **objectifs** de l'entreprise, vision qui est aussi « **stratégique** », c'est-à-dire bâtie sur des choix stratégiques.

On doit, par ailleurs, décider et agir avec **prudence**. Rappelons-nous les **hénokiens**, ces entreprises familiales qui ont su durer ; leurs choix devaient respecter trois critères :

- une **haute** rentabilité ;
- une **grande** autonomie financière ;
- une croissance **modérée**.

Il faut, à ce stade, **préciser** la **mission** de l'entreprise et les **objectifs d'affaires** du **clan familial**. Par ailleurs, les **opportunités** doivent être **réalistes** et tenir compte des occasions et des menaces de l'environnement, des forces et des faiblesses de l'entreprise.

Le choix de la stratégie concurrentielle

On doit choisir la « bonne » **stratégie concurrentielle**, parmi les stratégies concurrentielles adéquates identifiées précédemment. On retient celle, d'une part, qui répond le mieux aux **opportunités** et aux **menaces** que présente l'environnement (demande et concurrence) et, d'autre part, qui exploite au maximum les **forces concurrentielles** de l'entreprise et pallie ses faiblesses. En d'autres mots, on vise le « **mix idéal** » ; on raffine «l'**adéquation stratégique**».

Le choix de la **stratégie concurrentielle** est aussi influencé par les **forces** et les **faiblesses organisationnelles** de l'entreprise. Compte tenu des **moyens** dont dispose l'entreprise, quelles **actions stratégiques** peut-on entreprendre ? Et... réussir ? L'entreprise doit tirer le meilleur parti de ses ressources – humaines, financières et physiques –, sans vouloir trop en faire et ainsi risquer de tout perdre. Pensons, par exemple, à toutes ces expansions dites « **stratégiques** » qui ont entraîné l'échec de belles entreprises qui n'avaient pas les **forces** nécessaires.

L'implantation de la stratégie concurrentielle

La **stratégie concurrentielle** retenue doit permettre de faire connaître les **bons avantages concurrentiels** et de concrétiser les **bonnes compétences distinctives**, en réponse aux **opportunités** et aux menaces de l'environnement. Plus précisément, faire connaître les bons avantages concurrentiels est l'objectif de la **stratégie-marketing**, et concrétiser dans l'entreprise les bonnes compétences distinctives est l'objectif de la **stratégie-ressources humaines**, de la **stratégie-production** et de la **stratégie-finances**. On implante dans l'entreprise chacune de ces stratégies par l'adoption d'actions précises.

Il faut structurer les **actions** de chaque fonction de l'entreprise et articuler ses efforts dans la poursuite des objectifs fixés. On parle alors de **plan marketing**, **plan ressources humaines**, **plan production** et **plan financier**. Le Tableau 31 présente, à titre d'exemples, quelques **actions stratégiques** pouvant correspondre à certaines **stratégies concurrentielles de développement-innovation**.

Tableau 31

QUELQUES EXEMPLES DE STRATÉGIES CONCURRENTIELLES ET D'ACTIONS STRATÉGIQUES

STRATÉGIE CONCURRENTIELLE : DÉVELOPPEMENT-INNOVATION	ACTIONS STRATÉGIQUES
Différenciation par l'image	• **Marketing :** faire connaître la réputation de l'entreprise ; maintenir l'image de l'entreprise. • **Ressources humaines :** encourager la loyauté et le sentiment d'appartenance. • **Production :** améliorer la fiabilité du produit ou du service. • **Finances :** allouer les fonds requis pour soutenir les efforts de communication.
Différenciation par le produit ou le service	• **Marketing :** faire connaître l'excellence du produit ou du service. • **Ressources humaines :** embaucher une main-d'oeuvre qualifiée ; assurer sa formation. • **Production :** utiliser des équipements et des outillages spécialisés ; soutenir les efforts de recherche et développement ; contrôler la qualité du produit ou du service. • **Finances :** allouer les fonds requis pour améliorer la qualité du produit ou du service et assurer la formation de la main-d'oeuvre.

243

STRATÉGIE CONCURRENTIELLE : DÉVELOPPEMENT-INNOVATION	ACTIONS STRATÉGIQUES
Différenciation par le prix	• **Marketing :** rechercher le volume ; viser les consommateurs qui achètent pour le prix ; faire connaître ses prix. • **Ressources humaines :** accroître la productivité. • **Production :** standardiser les procédés ; produire en grande quantité. • **Finances :** diminuer les dépenses ; réduire les coûts d'achat, d'expédition, les frais généraux, etc.
Différenciation par le service à la clientèle	• **Marketing :** faire connaître la qualité du service à la clientèle ; rechercher la loyauté du client ; garantir la satisfaction. • **Ressources humaines :** développer la courtoisie et le respect du client ; maintenir l'efficacité des équipes de service à la clientèle. • **Production :** offrir un produit ou un service relativement uniforme. • **Finances :** allouer les fonds requis pour maintenir les équipes de service ; assumer les coûts qu'entraîne la satisfaction du client.

Par exemple, si la stratégie concurrentielle retenue est la **différenciation par le produit** – profiter d'un avantage concurrentiel basé sur la qualité du produit –, cette stratégie implique que le **marketing** aura à faire connaître l'excellence du produit, que les **ressources humaines** auront à embaucher une main-d'œuvre qualifiée et à assurer sa formation, que la **production** aura à utiliser de l'équipement et des outillages spécialisés, à soutenir les efforts de recherche et développement et à maintenir un programme rigoureux de contrôle de qualité, et que les **finances** auront à allouer les fonds requis pour améliorer le produit et former la main-d'œuvre.

> Nous l'avons dit, pour atteindre les objectifs fixés, chaque ressource de l'entreprise – humaine, financière et physique – doit être utilisée dans le sens voulu. Il faut plus que de savoir où on veut aller; il faut s'organiser en conséquence.

Dans l'exemple donné plus haut, le **plan marketing** explicitera toutes les actions stratégiques à entreprendre pour communiquer l'excellence du produit en termes de prix, publicité, promotion, efforts de vente, distribution, service à la clientèle, et. En bref, le **plan marketing** explicitera ce que doit faire le marketing dans la poursuite des objectifs fixés. Quand? Comment? Combien? Où? Avec quelles ressources?

Quant au **plan ressources humaines**, il explicitera toutes les actions stratégiques à entreprendre, pour embaucher une main-d'œuvre qualifiée et la former, en termes de critères d'embauche, rémunération, programmes de formation, climat de travail, etc. Il en est de même pour le **plan production** et le **plan financier**. Il faut en arriver à optimiser l'effort de chaque ressource, de chaque activité, de chaque dollar utilisé.

Nous suggérons que chacune des fonctions de l'entreprise établisse son plan selon la démarche proposée au Tableau 32.

Tableau 32

LE PLAN – FONCTION : LA DÉMARCHE

- Identifier toutes les actions stratégiques qu'on peut adopter pour implanter la stratégie concurrentielle retenue ;

- Choisir les actions stratégiques les plus appropriées, correspondant aux forces de l'entreprise et palliant ses faiblesses ;

- Planifier les étapes à suivre pour accomplir chacune des actions stratégiques retenues ;

- Établir les ressources humaines, physiques et financières et le délai nécessaire pour y arriver ;

- Préciser la collaboration requise entre les fonctions de l'entreprise pour accomplir chaque étape ;

- Revoir le plan selon les plans des autres fonctions de l'entreprise ;

- Établir l'échéancier d'implantation des actions stratégiques en correspondance avec les échéanciers des autres fonctions ;

- Établir un échéancier global ;

- Préciser les objectifs à atteindre et identifier les outils de contrôle de l'efficacité de chaque action stratégique ;

- Agir : mettre la stratégie concurrentielle en œuvre par l'implantation des actions stratégiques.

LE CONTRÔLE DE L'ÉVOLUTION ET DES RÉSULTATS

La planification stratégique identifie aussi les **outils de contrôle** de l'évolution et de la performance de l'entreprise dans la poursuite des objectifs fixés. Contrôler, c'est mesurer sa situation actuelle et la comparer aux résultats planifiés. Pour ce faire, il aura fallu « opérationnaliser » les **objectifs** à atteindre. Par ailleurs, il n'est d'aucune utilité de planifier ses activités si l'on n'entend pas les contrôler.

246

Si les objectifs à atteindre sont clairs pour l'entreprise, pour chaque fonction de l'entreprise et pour chacune des actions stratégiques à entreprendre, on pourra efficacement **contrôler** sa démarche. Le chiffre d'affaires a-t-il augmenté autant que prévu ? De combien ? Où ? Quand ? La rentabilité planifiée s'est-elle réalisée ? De combien ? Où ? Quand ? Le coûts ont-ils dépassé les prévisions ? De combien ? Où ? Quand ? Chaque action stratégique a-t-elle atteint les objectifs fixés ? Quelles sont les causes des écarts ? Que doit-on maintenir ? Que doit-on renforcer ? Que doit-on changer ?

Le contrôle anticipé

Il faut par ailleurs « voir venir les coups ! » « Sentir le vent ! » Le « **contrôle anticipé** » permet de réagir plus rapidement : maintenir, renforcer ou changer alors que le moment est encore propice. Le **contrôle anticipé** requiert plus qu'une démarche **analytique**. Il nécessite aussi et surtout une approche **globale** – la compréhension des interactions et de leurs conséquences.

Pensons, par exemple, à cette situation où l'entreprise apprend la perte d'un client important. Le **contrôle analytique** – les états financiers et les rapports de gestion – pourrait, pour la période déjà écoulée, montrer une augmentation du chiffre d'affaires et de la rentabilité. Le **contrôle anticipé** permet de prévoir que les prochains résultats ne seront pas aussi positifs et incitera les dirigeants, d'une part, à réagir rapidement et à réviser en conséquence les achats, la production, etc. et, d'autre part, à se questionner – à la suite de ce **signal** – quant aux raisons qui ont entraîné le départ du client, à évaluer la possibilité que ces mêmes raisons entraînent le départ d'autres clients et, si nécessaire, à revoir le plan stratégique. Inversement, si l'entreprise a attiré récemment de nouveaux clients, le **contrôle anticipé** incitera les dirigeants à exploiter les avantages

247

concurrentiels qui ont amené ces clients à faire affaires avec l'entreprise.

La planification financière

Il va sans dire que le **plan stratégique** doit être traduit sous la forme de « budgets financiers » pour l'entreprise, pour chaque fonction de l'entreprise, pour chaque action stratégique. Il est facile de comprendre qu'une planification financière efficace se veut le résumé financier de la planification stratégique.

Le plan d'affaires

Finalement, le plan stratégique est résumé sous la forme d'un **plan d'affaires**, nécessaire pour discuter de ses projets avec le conseil de famille, le conseil d'administration ou le comité de gestion, les prêteurs, etc.

LA PLANIFICATION STRATÉGIQUE : UN PROCESSUS CONTINU

Les entreprises familiales, comme toutes les entreprises, doivent non seulement intégrer le processus de la planification stratégique à leur mode de gestion, mais en faire un **outil de gestion continu** plutôt que ponctuel. Le Graphique 13 l'illustre.

Roger Desrosiers, président et chef de la direction du Groupe Mallette Maheu, écrivait récemment :

Une très forte proportion de dirigeants de PME croient que l'élaboration d'un plan stratégique est hors de leur portée ou destinée aux grandes entreprises. Pourtant, il y va de la survie de la PME. Un plan stratégique évalue la position de la PME, détermine sa mission, fixe des objectifs et élabore un programme d'action. De plus, l'évolution rapide des besoins de la clientèle, de la concurrence et

Graphique 13

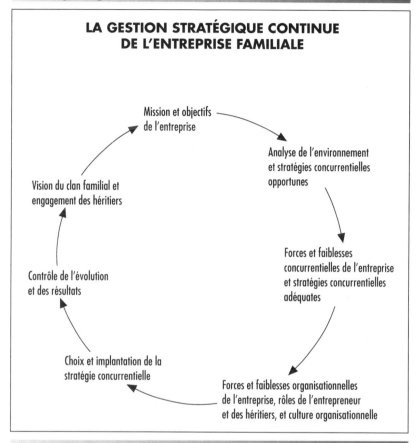

**LA GESTION STRATÉGIQUE CONTINUE
DE L'ENTREPRISE FAMILIALE**

*des marchés fera en sorte qu'on parlera davantage à l'avenir de **gestion stratégique continue**. Le plan stratégique doit évoluer avec l'entreprise et devenir continu plutôt qu'être un exercice statique dans le temps.*

L'engagement des héritiers et la vision du clan familial peuvent changer avec le temps, par exemple, avec le retrait de l'entrepreneur, le départ d'un héritier

249

ou l'arrivée d'un autre. En fait, tout peut changer, autant l'environnement que la condition de l'entreprise familiale. Il faut continuellement faire le point et ne jamais croire que le « **pilotage automatique** » peut suffire.

Il faut aussi comprendre qu'un **avantage concurrentiel**, même connu des clients et concrétisé dans l'entreprise, n'est pas éternel ; il peut s'**atténuer avec le temps**, selon l'évolution de la demande, les agissements des concurrents, le cycle de vie du produit ou du service, etc. Ainsi, on doit faire un inventaire périodique des avantages concurrentiels de l'entreprise et développer de nouvelles compétences distinctives pour jouir, encore et encore, des **bons avantages concurrentiels** et des **bonnes compétences distinctives**, et assurer la performance et la survie de l'entreprise.

> La capacité des dirigeants de développer de « bons » avantages concurrentiels n'est-elle pas, en fait, la seule vraie compétence distinctive essentielle au succès de toute entreprise ?

Atteindre l'excellence requiert de faire plus que de s'inspirer des agissements des entreprises concurrentes. La revue *Harvard-L'Expansion* de l'automne 1990 publiait un article de G. Hamel et C. K. Prahalad sous le titre « Les stratèges du soleil levant » ; on y lit :

> *Si imiter les méthodes de ses rivaux peut constituer une belle forme de flatterie cela ne conduira pas à une redynamisation de l'entreprise. Ces stratégies fondées sur l'imitation sont transparentes pour ceux qui les ont déjà maîtrisées. Comme, en plus, les concurrents qui réussissent se croisent rarement les bras, il n'est pas surprenant que beaucoup de dirigeants se sentent piégés dans cette course-poursuite sans fin où ils sont cons-*

tamment surpris par les nouveaux exploits de leurs rivaux.

Gérer stratégiquement, c'est avoir une « vision stratégique » et favoriser la gestion stratégique continue. C'est aussi revoir en conséquence les rôles de l'entrepreneur et des héritiers et intégrer cette **pratique** dans la culture de l'entreprise familiale. Pour ce faire, il faut **croire** en l'importance d'une saine gestion et **valoriser** les énergies qu'on y consacre.

Il ne peut en être autrement, la planification stratégique doit être un processus continu. On parle alors de gestion stratégique continue.

CHAPITRE 7

LA FEMME ET L'ENTREPRISE FAMILIALE

Pour faciliter la lecture, nous avons utilisé le masculin jusqu'à maintenant. Mais, il ne faut pas ignorer le rôle des femmes en affaires. Dans l'entreprise familiale, on peut reconnaître quatre rôles principaux ; en fait, ces rôles ne sont en rien différents de ceux des hommes. Il y a d'abord la **femme collaboratrice**, la **femme entrepreneure** et la **femme cadre supérieur**. En tant que cadre supérieur dans l'entreprise familiale, elle doit aussi être considérée comme candidate au poste de **directeur général** et elle peut alors succéder à l'entrepreneur.

L'histoire nous a montré de nombreuses **femmes collaboratrices** qui ont contribué au succès de l'entreprise familiale. Pour compléter le dicton : « Auprès de chaque homme qui a réussi, il y a une femme, la femme collaboratrice en affaires. » Une étude effectuée en 1987 par Laventhol & Horwarth et l'Américan Management Association indiquait que plus de 40 % des entrepreneurs disaient être influencés de façon importante par leur conjoint quant à leurs décisions d'affaires.

Les temps changent. Nous vivons les années de la **femme entrepreneure**. Selon les statistiques récentes (*Femmes entrepreneures du Québec*, Ministère de l'Industrie, du Commerce et de la Technologie, Québec,

Septembre 1989), 20 à 25 % des entreprises québécoises sont dirigées par des femmes-propriétaires et, dans le cas des entreprises nouvellement créées par les moins de 30 ans, cette proportion atteint de 30 à 40 %.

Écoutons Ève Morin parler du travail de sa mère chez J. B. Lefebvre ltée :

> *Ma mère avait 35 ans à l'époque et déjà 2 enfants, mon frère Michel et moi. Pendant qu'elle était enceinte de mon autre frère, François, elle allait négocier des baux pour l'ouverture de magasins dans des centres commerciaux... Elle a quintuplé le nombre de magasins et multiplié par 20 le chiffre d'affaires de la société. En 1970, elle a acheté la part de ses sœurs tout en fondant, la même année, une nouvelle chaîne qui s'appellera Pavane. Cette nouvelle bannière compte 25 magasins. Finalement, en 1979, elle a acheté Mayfair pour couvrir le marché haut de gamme de la chaussure. L'entreprise compte aujourd'hui 67 points de vente au Québec et en Ontario.*

Quant à la **femme cadre supérieure**, il est de plus en plus fréquent d'en rencontrer dans toutes les entreprises. Et c'est bien normal, compte tenu qu'elles représentent actuellement environ la moitié des diplômés d'universités. Cependant, dans l'entreprise familiale, la reconnaissance de leur contribution est encore négligée ou oubliée.

Dans le cadre d'une étude « Understanding of Father-Daughter and Father-Son Dyads in Family-Owned Business » publiée en 1989 dans le *Family Business Review*, notre collègue Colette Dumas a examiné le rôle de 20 filles dans l'entreprise familiale. Bien que l'auteure ait noté qu'il était aussi difficile pour la fille que le garçon de faire sa place dans l'entreprise familiale, elle souligne que les filles sont moins remarquées dans l'entreprise, comme si elles étaient invisibles, comme si elles n'étaient pas là. Elle a même identifié une situation où la fille n'avait pas encore sa place dans la structure hiérarchique de l'entreprise, après de nombreuses années de service.

Une autre étude auprès de plus de 500 entreprises familiales québécoises, effectuée par Yvon Gasse, Ghislain Théberge et Julien Naud de l'Université Laval, indique :

> *La perception du dirigeant en ce qui concerne la possibilité de voir un jour sa fille prendre la relève ou lui succéder est surtout fondée sur des aspirations familiales : à défaut de fils apte ou disponible, le dirigeant tourné vers sa famille étendra le concept « enfants » pour y inclure sa fille... Mais en réalité, la place effectivement accordée à la fille semble encore marginale.*

> *L'intégration est un facteur important pour la promotion de la fille. Contrairement au fils (qui est promu à la tête de l'entreprise à la fois selon les aspirations et la réalité), celle-ci doit être intégrée aux activités de l'entreprise afin d'être pleinement reconnue par le dirigeant. Autrement dit, elle doit démontrer son intérêt et ses capacités avant d'être considérée comme une candidate valable (chez le fils, la considération vient avant la démonstration !).*

Et pourquoi la fille du patron ne serait-elle pas le **successeur** ? Pourquoi ne serait-elle pas la prochaine **directrice générale** ? Si elle en a la motivation et les capacités, elle doit être considérée au même titre que ses frères. Les succès des femmes, tant aux études qu'au travail, leur confèrent ce droit légitime.

Le magazine *PME* publiait en novembre 1991 un article intitulé : « Entrepreneurship féminin : à la croisée des chemins ». Quatre femmes entrepreneures y racontent leurs expériences en affaires ; on y lit :

255

- Sylvie Légaré, présidente-directrice générale de Belimco :

Belimco, c'est une PME affiliée à cinq entreprises du secteur de l'investissement. Fondé en 1986, le groupe compte au départ trois associés. Aujourd'hui, Sylvie Légaré est seul maître à bord pour quatre des cinq entreprises.

Sylvie Légaré a de qui tenir. Son père, lui-même entrepreneur, posséda jusqu'à 35 entreprises à la fois. Que pense-t-il de sa « superwoman » de fille ? « J'imagine qu'il est fier : il ne me le dit jamais. Au contraire, j'ai toujours le sentiment de ne pas en faire assez. C'est probablement l'orgueil propre aux hommes de sa génération qui l'empêche d'exprimer ses sentiments à l'égard de mes réalisations professionnelles », conclut-elle, songeuse.

- Nicole Chabot, présidente de Macha Transport et vice-présidente de Expéditeur Japiro :

Nicole Chabot gère une entreprise de camionnage de 40 employés avec... son beau-frère ! Ensemble, ils ont fondé Expéditeur Japiro, dont elle est vice-présidente, et Macha Transport dont elle est présidente.

Un duo d'entrepreneurs plutôt inusité ? « Ça devait être inscrit dans notre karma qu'on travaillerait ensemble ! Nicole est déterminée, fonceuse. Moi, je suis plus conciliant. Ensemble, on forme la combinaison de gestion idéale », confie Bernard Maltais, 49 ans, président d'Expéditeur Japiro et vice-président de Macha Transport.

- Josée Prévost, présidente de Click Clock :

Josée Prévost mène sa barque seule. Au début, son conjoint de l'époque participe à l'entreprise. Très pressé, il veut aller trop loin, trop vite. Elle lui montre la sortie. Aujourd'hui, un nouveau conjoint partage sa vie. Un gars calme, affectionnant la vie tranquille. Pendant qu'elle court d'un rendez-vous à l'autre, il garde le phare. Lorsque finalement elle se couche, quelquefois à deux heures du matin, il y va d'un « Demain, je te donnerai un petit coup de main ». Cet homme-là, c'est ma sécurité. Peu importe ce qui arrive, il me soutient. Je pense qu'il est pas mal fier de moi.

- Denise Verreault, présidente de Verreault Navigation :

En 1982, suite au décès de son père, Denise Verreault gère l'entreprise familiale avec sa mère et sa sœur. Dans ce secteur non traditionnel, l'arrivée d'une horde de femmes effraie d'abord les fournisseurs qui resserrent leurs conditions de vente. Certains se font même tordre le bras pour vendre. Denise Verreault ignore la situation, ayant mille autres chats à fouetter. Les fournisseurs se rendent à l'évidence : entre le père et la fille, il n'y a pas de différence !

Depuis 1989, Denise Verreault tient seule le gouvernail de Verreault Navigation. Surtout, n'allez pas lui dire qu'elle a hérité de l'entreprise. « Je l'ai payée en bel argent sonnant. J'ai tout hypothéqué. Seul mon mari ne fut pas donné en garantie ! », informe-t-elle. Le véritable héritage de la présidente : « Petite, si je me disais incapable de faire quelque chose, mon père me répondait sur-le-champ : Pas capable, ça n'existe pas ! »

Que de vécu dans leurs propos : partage de la propriété de l'entreprise, conflits, rachat de partenaires, influence familiale, association belle-sœur et beau-frère, relations de couple, entraide, réactions de fournisseurs, achat de l'entreprise familiale. Et aussi motivation, travail, gestion et... succès !

Benjamin Benson, dans son livre *Your Family Business*, reprend les propos de Marilyn Loden tenus lors d'une conférence en 1986 :

> *Je vois le leadership féminin différent du leadership masculin mais tout aussi efficace. Il favorise la coopération plutôt que la compétition. Les leaders féminins préfèrent travailler en équipe où le pouvoir et l'influence sont partagés entre les membres du groupe par opposition à une hiérarchie où le pouvoir est centralisé en haut. Les leaders féminins utilisent autant leur intuition et leur rationalité pour décider. Elles considèrent davantage les objectifs à long terme qui sont profitables à toute l'organisation que les objectifs à court terme. Elles préfèrent généralement une approche « gagnant-gagnant » à la solution de conflits plutôt qu'une approche « gagnant-perdant » préférée de plusieurs dirigeants masculins.*

Quoi qu'il en soit, les experts s'entendent pour dire que les femmes réussissent mieux en affaires que les hommes. Comme l'a démontré Jerry White en 1984, le taux de survie des entreprises canadiennes de gestion féminine est deux fois plus élevé que celui des entreprises dirigées par des hommes.

CONCLUSION

La lecture de notre ouvrage vous a, nous l'espérons, aidé dans votre démarche de gestion de votre entreprise familiale – préparation de la relève et planification de la succession. Il est clair qu'on ne peut ignorer la crise de la relève dans une entreprise familiale. Cependant, comme pour toute autre crise, l'entrepreneur peut, en se préparant bien, soit la contourner soit en réduire l'ampleur. Le président Kennedy disait souvent que le mot **crise** s'écrit en chinois avec deux symboles, l'un signifiant **danger** et l'autre signifiant **occasion**. Certes, la crise de la relève est un **danger** ; les statistiques le montrent bien. Par contre, savoir aujourd'hui qu'un **danger** surviendra demain et se préparer, c'est se donner une **occasion** de le surmonter.

Le président de Pepsi dit allouer 40 % de son temps à des considérations humaines. Comme il le dit : « Nous embauchons des aigles et nous leur enseignons à voler en formation. » Le secret pour bien organiser sa relève est là : d'abord mettre du temps à former les ressources humaines qui constituent la relève, puis savoir utiliser les capacités de chacun des héritiers.

L'intérêt pour l'entreprise familiale est international et grandit rapidement. Le **Service de formation sur mesure de l'UQAM** offre aujourd'hui des cours à l'intention des entrepreneurs et leurs héritiers sur la gestion de l'entreprise familiale. De nombreux cabinets d'experts-comptables, de conseillers en gestion, etc. s'intéressent à cette nouvelle approche. Nous pensons, par exemple, au **Groupe Mallette Maheu et à Caron Bélanger Ernst & Young**. La **Banque fédérale de**

développement offre aujourd'hui des séminaires et des services de consultation aux propriétaires d'entreprises familiales ; nous avons eu le privilège de rédiger son matériel pédagogique, de mettre en place ses outils de consultation et d'animer sa première série de séminaires. Ses interventions s'étendent non seulement au Québec, mais au Canada entier ; nous avons aussi formé ses conseillers francophones et anglophones.

De plus en plus d'universités américaines et européennes offrent des cours adaptés aux besoins des entreprises familiales. L'**Université du Québec à Montréal** a récemment ajouté un nouveau cours au programme de premier cycle : **la gestion des entreprises familiales**. Par ailleurs, s'il obtient le financement requis, le Département des sciences administratives de l'UQAM lancera, par la Fondation UQAM, une **chaire de recherche sur la gestion des entreprises familiales**. Entre temps, avec la collaboration d'entrepreneurs et d'experts, nous travaillons à la mise sur pied d'un **Groupe international de recherche et d'intervention auprès de l'entreprise familiale** (GIRIEF), dont les objectifs principaux sont la recherche, la formation et l'aide aux propriétaires d'entreprises familiales, à leur famille et aux intervenants – banquiers, experts-comptables, assureurs, conseillers juridiques et autres.

Un entrepreneur, avec qui nous avons travaillé à préparer sa relève et à planifier sa succession nous disait : « C'est bon d'avoir une entreprise rentable ; l'argent garde les enfants en contact. » La rentabilité de l'entreprise est le premier pas. Mais précisément parce que l'entreprise et l'argent créent des attentes chez les enfants et **les gardent en contact**, les parents doivent mettre le temps nécessaire à gérer ces contacts. Préparer sa relève et planifier sa succession, c'est le résultat d'une planification, d'interventions, d'un enseignement, d'encouragements, de décisions.

260

Le vrai défi de la gestion de l'entreprise familiale est non seulement de bien la gérer, mais aussi de préparer sa relève et planifier sa succession : amener ses héritiers à former un clan uni, développer leur motivation à travailler ensemble, identifier les capacités et le rôle de chacun, les aider à acquérir les compétences nécessaires à la gestion de l'entreprise, mettre en place une structure juridique qui permettra à l'entreprise de fonctionner à l'abri des conflits familiaux et, à la famille, de suivre, selon des règles établies, la performance de l'entreprise. L'entreprise familiale doit être vue comme une entreprise tout court. Les propriétaires – la famille ou les familles – doivent donc accorder aux gestionnaires de l'entreprise familiale la liberté d'action et les moyens nécessaires pour atteindre les objectifs de rentabilité et de croissance.

Quelqu'un a déjà écrit : « **Il y a l'avenir qui se fait et l'avenir qu'on fait. L'avenir réel se compose des deux.** » On ne peut pas laisser faire le temps lorsque l'on souhaite laisser son entreprise à ses héritiers. Il faut consacrer des énergies à bâtir son **clan familial** et accepter de **préparer sa relève** et de **planifier sa succession**. Il n'est jamais trop tard pour **agir** ! Lors d'une conférence sur l'entreprise familiale, une jeune héritière concluait sa présentation par ces mots : « **L'importance n'est pas ce que l'on sait, mais ce que l'on fait avec ce que l'on sait.** »

On le sait maintenant : « **La relève, ça se prépare !** » Rappelons-nous les entreprises familiales **hénokiennes**. Elles ont su durer !

L'ÉTABLISSEMENT DE LA VALEUR MARCHANDE D'UNE ENTREPRISE

Nous vous présenterons dans cette annexe, le texte original d'un article que nous avons publié dans le magazine *PME* de septembre 1992. À la suite de la parution de l'article, nous avons reçu une cinquantaine de lettres d'experts-comptables, de conseillers en gestion, d'entrepreneurs et de gestionnaires nous demandant le détail des calculs ; ainsi, avons-nous jugé à propos d'inclure ces renseignements dans notre ouvrage.

Nous adressons ce texte aux praticiens du domaine sachant qu'ils se limitent souvent, et peut-être avec raison, à quelques-unes des méthodes expliquées. La présentation peut sembler théorique, et l'est sûrement à certains égards, principalement quant aux formules complexes et hypothèses nécessaires.

L'établissement de la valeur marchande d'une entreprise est un exercice fondamental lorsque l'entrepreneur veut acquérir une entreprise, fusionner son entreprise avec une autre, vendre son entreprise à ses

Nous remercions notre collègue Raymond Théorêt, docteur en sciences économiques, pour sa précieuse collaboration à la rédaction de ces pages.

copropriétaires ou à des étrangers, ou la transférer (gel successoral) à ses héritiers. Plus encore, au décès de l'entrepreneur, les impôts sur le gain en capital sont calculés selon la **juste valeur marchande** de l'entreprise. Il est donc important que l'établissement de la juste valeur marchande de l'entreprise soit **argumenté**.

C'est aussi un exercice essentiellement **prévisionnel**. En effet, la valeur d'une entreprise est surtout fonction des résultats futurs de l'entreprise. On doit donc estimer les profits et les *cash flow* futurs de l'entreprise, ce qui n'est pas sans difficultés. Aussi, nous vous proposons d'autres méthodes, plus simples, basées sur les données comptables de l'entreprise. On établira diverses valeurs selon cinq méthodes différentes :

1. **la valeur aux livres ;**
2. **la valeur aux livres redressée ;**
3. **l'actualisation des** *cash flow* **;**
4. **la capitalisation du bénéfice ;**
5. **le bénéfice avant intérêts et impôts (BAII).**

Nous expliquons le mode d'utilisation de chacune de ces méthodes à l'aide d'un exemple réel, la compagnie Meubles inc., une petite entreprise qui n'émet pas d'actions en bourse. Sa raison sociale, pour des fins de confidentialité, a été modifiée. Il va sans dire qu'il importe que l'entrepreneur consulte son **conseiller en gestion** et les **experts externes** – expert-comptable et fiscaliste – lors du processus, puisque chaque situation est particulière.

Les données

Les principales données qui ont servi à l'évaluation de la compagnie Meubles inc. apparaissent au Tableau I.

Tableau I

LA COMPAGNIE MEUBLES INC.

	1988	1989	1990	1991	1992
Actif	1 194 839 $	1 421 574 $	1 406 946 $	1 820 664 $	1 826 848 $
Avoir	480 641 $	581 988 $	700 268 $	928 957 $	829 153 $
Bénéfice après impôts	204 648 $	144 955 $	165 572 $	279 980 $	230 196 $
Rendement de l'avoir	42,6 %	24,9 %	23,6 %	30,1 %	27,8 %
Dette	714 198 $	839 586 $	706 678 $	891 707 $	997 695 $
Cash flow	252 919 $	216 968 $	234 880 $	344 971 $	307 187 $

Note : Le rendement de l'avoir est le rapport entre le bénéfice net (après impôts) et l'avoir, exprimé en pourcentage. Le *cash flow* est grosso modo la somme du bénéfice net et de l'amortissement.

Les valeurs calculées selon les méthodes proposées ci-après représentent la **valeur marchande de l'actif** de la compagnie Meubles inc. Pour obtenir la **valeur marchande de l'entreprise**, il faut retrancher le montant des dettes existantes, soit environ 1 000 000 $ en 1992, des montants calculés. Nous y reviendrons plus loin.

1. La méthode de la valeur aux livres

C'est la méthode la plus simple. En 1992, la valeur aux livres de l'actif de la compagnie Meubles inc. est de **1 826 848 $**. Mais l'actif étant évalué au bilan à son coût d'origine, la valeur aux livres n'est peut-être pas une juste mesure de la valeur marchande. C'est tout de même un premier estimé rapide.

2. La méthode de la valeur aux livres redressée

Cette méthode permet de pallier certaines carences de la méthode précédente. On ajuste la valeur aux livres pour tenir compte de l'achalandage et de la valeur marchande des immobilisations.

La valeur de l'achalandage

Une technique simple permet d'établir la valeur de l'achalandage de la compagnie Meubles inc. On compare son rendement de l'avoir à celui du **secteur d'affaires** – le meuble – pour les cinq dernières années.

Selon les statistiques colligées par l'*Association des banquiers canadiens*, le **rendement moyen** de l'avoir des entreprises œuvrant dans le secteur du meuble a été de 15 % au cours des cinq dernières années. Durant la même période, le rendement moyen de l'avoir de la compagnie Meubles inc. a été de 29,8 %. L'écart favorable est donc de 14,8 %. On calcule la **valeur de l'achalandage** en 1992 en multipliant cet écart par son avoir à la fin de 1992 :

$$\text{Valeur de l'achalandage} = 0,148 \times 829\,153\,\$$$
$$= 122\,715\,\$$$

La valeur marchande des immobilisations

Dans un bilan, les immobilisations comme toute autre rubrique sont comptabilisées au coût d'acquisition diminué de l'amortissement accumulé. Ce traitement ne reflète donc pas la juste valeur marchande des immobilisations, puisque les biens immobiliers ont tendance à s'apprécier année après année. Ainsi, la compagnie Meubles inc. estime, selon **l'analyse d'un évaluateur**, qu'un montant de 193 000 $ doit être ajouté à la valeur aux livres de ses immobilisations pour refléter leur vraie valeur marchande qui est donc de 675 858 $ en 1992.

En 1992, la **valeur aux livres redressée** de la compagnie Meubles inc. est :

$$\begin{matrix} \textbf{Valeur} & \text{Valeur} & & & \text{ajustement} \\ \textbf{aux livres} = & \text{aux} & + \text{ achalandage } + & \text{des immo-} \\ \textbf{redressée} & \text{livres} & & \text{bilisations} \end{matrix}$$

$$= 1\,826\,848\,\$ + \quad 122\,715\,\$ \quad + \quad 193\,000\,\$$$

$$= \textbf{2 142 563 \$}$$

3. La méthode de l'actualisation des *cash flow*

C'est la méthode la plus utilisée pour évaluer un l'**actif**, que cet actif soit une entreprise, un titre – action ou obligation – ou de toute autre nature. Selon cette méthode, la valeur d'un actif est la somme des *cash flow* actualisés qu'il promet de payer. Le taux d'actualisation est le taux de rendement exigé par les détenteurs de cet actif. Si l'actif est **une entreprise**, le taux d'actualisation est égal à son coût moyen du capital.

Le coût moyen du capital

Il est d'usage en finances d'utiliser le **coût moyen du capital** d'une entreprise pour actualiser ses *cash flow*. Ce taux représente la moyenne des divers coûts de financement de l'entreprise. Il existe deux catégories principales de coûts de financement pour une entreprise : celui de sa **dette** et celui de son **avoir**.

Les économistes prévoient que le taux de rendement des bons du Trésor canadiens, soit un taux d'intérêt sans risque, sera en moyenne de 8 % au cours des cinq prochaines années. Compte tenu du risque d'affaires, le coût moyen de la dette (rb) de la compagnie Meubles inc. est d'environ 12 %.

Pour calculer le coût moyen du capital de la compagnie Meubles inc., il faut également prévoir le coût de financement rattaché à l'avoir. En effet, si besoin est de le mentionner, l'avoir est la première source de financement d'une entreprise. Ce n'est pas un coût explicite, c'est un coût d'option, dans le jargon des économistes.

En finance moderne, on estime présentement le coût de financement rattaché aux divers véhicules de financement en recourant au modèle du *Capital Asset Pricing Model* (CAPM). La formule de base du CAPM pour déterminer le rendement d'un véhicule de financement est la suivante :

$$E(Ri) = rf + \text{prime de risque}$$
$$= rf + (\beta \times \text{prime de risque du marché}) \qquad (1)$$

Dans cette expression, E(Ri) représente l'espérance mathématique du rendement du véhicule de financement de catégorie i, et β, le **bêta**, mesure le risque de cette catégorie de financement.

Cette équation, rebutante au départ, est cependant facile à comprendre. Le bêta mesure le risque relatif d'un titre par rapport à celui qui est rattaché à un portefeuille très diversifié de titres, dit encore **portefeuille du marché***. Si le bêta d'un titre est égal à 1, cela signifie que ce titre présente le même risque que celui du portefeuille du marché. Si son bêta est supérieur à 1, il est plus risqué que le portefeuille du marché. L'inverse tient évidemment pour un bêta inférieur à 1. L'échelle du risque est, somme toute, un baromètre dont le point de référence est le risque présenté par le portefeuille du marché.

Le rendement minimal d'un titre est rf, soit le rendement d'un titre sans risque. Pour un tel titre, la

---

* Au Canada, c'est le portefeuille relié au TSE qui représente entre autres, le portefeuille du marché (le portefeuille rattaché à l'indice XXM, soit l'indice de la Bourse de Montréal, pourrait faire figure de substitut). Aux États-Unis, le Dow-Jones en est un bon candidat prime de risque est nulle selon l'expression (1) puisque son bêta, ou sa mesure relative du risque, est nul.

La prime de risque du portefeuille du marché est estimée à environ 7 % au Canada. Les investisseurs demandent donc un rendement additionnel de 7 %, en sus du rendement du titre sans risque, pour détenir le portefeuille du marché. En appliquant la formule du CAPM donnée par l'expression (1) et en se rappelant que le bêta du portefeuille du marché est égal à 1 et que le taux de rendement des titres sans risque prévu par les économistes au cours des prochaines années est de 8 %, le taux de rendement exigé par les investisseurs pour détenir le portefeuille du marché sera de 8 % + 7 %, soit 15 %.

Si les titres émis par une entreprise, disons des actions, ont un bêta supérieur à l'unité, ses actionnaires exigeront un rendement supérieur à 15 %. Sinon, ils n'achèteront pas ces titres ou les vendront s'ils en détiennent déjà. Et vice-versa si les titres qu'elle émet ont un bêta inférieur à l'unité.

La firme *Polymetrics* estime qu'une entreprise qui opère dans le secteur du meuble et qui a environ le même levier* que la compagnie Meubles inc. a un bêta de 1. Fort de cette estimation, on peut se servir de l'équation (1) pour calculer le coût de financement rattaché à l'avoir de la compagnie Meubles inc. :

Coût du financement prévu de l'avoir de la compagnie Meubles inc. :

$$= rf + (\beta \times \text{prime de risque du marché})$$
$$= 8\% + (1 \times 7\%)$$
$$= 15\%$$

---

* Nous verrons plus loin que le bêta d'une entreprise dépend du niveau de son levier, soit le rapport de la dette à l'avoir.

On dispose maintenant de toutes les informations pour calculer le coût moyen du capital de la compagnie Meubles inc. : c'est aussi le taux d'actualisation de ses *cash flow*. Nous avons établi que le coût de financement rattaché à sa **dette** est de 12 %. Le coût de financement rattaché à son **avoir** est de 15 %. Le coût moyen du capital est la moyenne pondérée de ces deux formes de financement ou sources de fonds. Les facteurs de pondération sont les **proportions relatives** de la dette ct de l'avoir. Pour la compagnie Meubles inc., ces proportions sont respectivement de 55 % et de 45 % en 1992.

Le coût moyen du capital de la compagnie Meubles inc. est donc :

$$\text{Coût moyen du capital} = (0{,}45 \times 0{,}15) + (0{,}12)\,(1 - 0{,}24)\,(0{,}55)$$

$$= 0{,}1175 \text{ ou } 12 \text{ \%, en arrondissant.}$$

Nous avons tenu compte du fait que les intérêts payés sur la dette sont déductibles et réduisent d'autant le coût de financement rattaché à la dette.

L'actualisation des cash flow

Le **cash-flow** annuel d'une entreprise est grosso modo la somme de son **bénéfice net** et de son **amortissement**. Dans le cas d'une PME ou d'une entreprise familiale, il y a sans doute lieu de **corriger ses *cash flow***. En effet, il se peut que l'entreprise paie un salaire dérisoire à certains de ses employés, membres de la famille. Ou encore, elle peut verser des salaires trop élevés. Voilà un des quelques ajustements qu'il faudra apporter aux *cash flow* si l'on veut qu'ils reflètent la juste valeur de l'entreprise.

En théorie, il faut actualiser les *cash flow* de l'entreprise à l'infini pour déterminer sa valeur. Cela demande une prévision pendant un nombre infini d'années. Un tel exercice n'est évidemment pas possible en pratique. Quoi qu'il en soit, passé cinq ans, les prévisions des *cash flow* deviennent de plus en plus hypothétiques.

Pour contourner cette difficulté, on prévoit les *cash flow* pour les quatre ou cinq prochaines années et on suppose qu'ils continueront de croître à un rythme constant.

Ces calculs mettent en jeu une prévision de l'inflation car il est souhaitable que les *cash flow* croissent au moins au même rythme que l'inflation. Il faut aussi prédire la croissance réelle des *cash flow* de l'entreprise, c'est-à-dire la croissance en sus de l'inflation.

Les économistes prévoient que l'inflation canadienne progressera au rythme annuel de 4 % au cours des trois prochaines années et de 2 % par la suite. La *Banque du Canada* a en effet affirmé qu'elle s'emploierait à réduire coûte que coûte l'inflation au cours des prochaines années. Par ailleurs, la compagnie Meubles inc. estime que, dans l'avenir, la croissance réelle de ses *cash flow* sera en moyenne de 1 % l'an* Par conséquent, la compagnie Meubles inc. prévoit que ses *cash flow* croîtront au rythme annuel de 5 % au cours des trois prochaines années et de 3 % par la suite.

Pour calculer les *cash flow* prévus de la compagnie Meubles inc., il faut évidemment leur fixer un niveau de départ. Comme les *cash flow* de l'entreprise fluctuent d'une année à l'autre, il ne semble pas approprié de choisir le montant du *cash flow* observé en 1992. Nous retenons plutôt la moyenne au cours des cinq dernières années, soit 271 385 $.

---

* Elle se base, entre autres sur la prévision de ses ventes pour évaluer la croissance réelle de ses *cash flow*.

Toutes les données sont maintenant disponibles pour calculer la valeur actualisée des *cash flow* de la compagnie Meubles inc. Selon les hypothèses formulées antérieurement, la valeur actualisée des *cash flow* de la compagnie Meubles inc. au cours des trois prochaines années est la suivante :

$$= \frac{271\,385\,\$\,(1,05)}{1,12} + \frac{271\,385\,\$\,(1,05)^2}{(1,12)^2} + \frac{271\,385\,\$\,(1,05)^3}{(1,12)^3} = 716\,559\,\$$$

Par la suite, on suppose que les *cash flow* de l'entreprise croîtront indéfiniment au rythme annuel de 3 % à partir du niveau atteint à la fin de la troisième année de la prévision. Il faut donc actualiser à perpétuité les *cash flow* annuels à venir qui croîtront à un rythme constant, soit 3 %. La formule générale à utiliser dans ce cas est la suivante :

$$\text{Valeur actualisée d'une perpétuité} = \frac{CF_0\,(1+g)}{r-g} \qquad (2)$$

CF_0 est le niveau de départ du calcul de la perpétuité, ici le *cash flow* prévu à la fin de la troisième année, g est le taux de croissance prévu des *cash flow* à partir de cette date, ici 3 %, et r est le taux d'actualisation des *cash flow*, ici le coût moyen du capital calculé antérieurement, soit 12 %. La valeur actualisée de cette perpétuité, calculée à la fin de la troisième année, est donc égale à l'expression suivante pour la compagnie Meubles inc. :

$$= \frac{271\,385\,\$\,(1,05)^3\,(1,03)}{(0,12-0,03)}$$
$$= 3\,595\,410\,\$$$

Mais comme cette valeur est calculée à la fin de la troisième année de la prévision, il faut l'actualiser de nouveau pour la ramener au début de la période de prévision. Actualisé de nouveau, ce montant devient :

$$= \frac{3\,595\,410\,\$}{(1,12)^3} = 2\,559\,142\,\$$$

Selon la **méthode des *cash flow***, la valeur de l'entreprise en 1992 se chiffre donc à la somme de ces deux montants, soit :

$$\text{Valeur de l'entreprise} = 716\,559\,\$ + 2\,559\,142\,\$ = \mathbf{3\,275\,701\,\$}$$

4. La méthode de la capitalisation du bénéfice

Le prix d'une action peut être établi comme suit :

$$P = (P/BPA) \times BPA \qquad (3)$$

Dans cette expression, P désigne le prix de l'action de l'entreprise et BPA, le bénéfice par action ; (P/BPA) est le rapport cours/bénéfices. Si l'on multiplie l'expression (3) par le nombre d'actions émises par l'entreprise, on obtient :

Valeur au marché des actions $= P \times n^{bre}$ d'actions

Valeur au marché des actions $= (P/BPA) \times BPA \times n^{bre}$ d'actions

Mais, $BPA \times n^{bre}$ d'actions, soit le bénéfice par action multiplié par le nombre d'actions, représente le bénéfice net total de l'entreprise. Ainsi :

Valeur au marché des actions $= (P/BPA) \times$ bénéfice net

Par ailleurs, l'expression du bénéfice net (après impôts) est la suivante :

Bénéfice net $= BAII\,(1 - Tc) - [(1 - Tc) \times rb \times TE \times VC] \quad (4)$

Dans cette expression, BAII désigne le bénéfice avant intérêts et impôts, Tc le taux de taxation de l'entreprise, rb le taux d'intérêt de la dette, TE le taux d'endettement de l'entreprise et VC, la valeur de l'entreprise que l'on veut calculer. Le produit de TE et de VC est la dette de l'entreprise. Multiplier ce produit par rb revient à calculer les intérêts de la dette. On les multiplie ensuite par $(1 - Tc)$ pour obtenir les intérêts après impôts.

Valeur au
marché $=$ BAII $(1 - Tc) - [(1 - Tc) \times rb \times TE \times VC]$
des actions $\times$ P/BPA   (5)

Celui qui achèterait tout l'encours d'actions d'une entreprise sur le marché deviendrait évidemment propriétaire de la compagnie. Mais il doit aussi tenir compte du fait que la compagnie dispose d'une dette. À supposer que le nouveau propriétaire conserve le même ratio d'endettement, la valeur de la compagnie achetée (VC) est égale à l'expression suivante :

VC $=$ Dette $+$ valeur au marché des actions

VC $=$ (TE $\times$ VC) $+$ valeur au marché des actions   (6)

En substituant l'équation (5) dans l'équation (6), on obtient :

VC $=$ (TE $\times$ VC) $+$ [[BAII $(1 - Tc) - (1 - Tc) \times rb \times TE \times VC] \times$ P/BPA]
soit, VC $= 1/\{(1 - TE) + [(1 - TC) \times rb \times TE \times (P/BPA)]\} \times$ [BAII $(1 - TC) \times$
(P/BPA)]   (7)

Pour calculer l'expression (7) dans le cas de la compagnie Meubles inc., il faut évaluer son **taux d'endettement futur**, le **rapport cours/bénéfices** et le **bénéfice avant intérêts et impôts**. On suppose que l'entreprise maintiendra dans le futur le **taux d'endettement** qu'elle a en 1992, soit 55 %.

L'évaluation du **rapport cours/bénéfices** soulève des problèmes en ce qui concerne la compagnie Meubles inc. car elle n'émet pas d'actions à la bourse. Il faut s'en remettre au rapport cours/bénéfices des entreprises du secteur du meuble qui émettent des actions en Bourse. Après consultation de la revue de la firme Polymetrics, on constate que ce ratio se chiffre environ à 9.

Finalement, comment évaluer le **bénéfice avant intérêts et impôts** ? Le calcul de la valeur d'une entreprise étant un exercice essentiellement prévisionnel, c'est évidemment l'espérance mathématique des profits futurs avant intérêts et impôts de la compagnie Meubles inc. qui doit être utilisée pour les fins de la détermination de la valeur de l'entreprise.

On peut estimer l'espérance mathématique du BAII de la compagnie Meubles inc. en calculant la moyenne des BAII prévus au cours des cinq prochaines années. Le BAII de La compagnie Meubles inc. est de 312 222 $ en 1992. À l'instar des *cash flow*, on prévoit que le BAII croîtra de 5 % au cours des trois prochaines années et de 3 % par la suite. En se servant de ces prévisions, on obtient une espérance du BAII de 357 844 $. Après impôts, ce montant s'établit à 271 961 $, soit le produit de 357 844 $ et de 0,76 ou (1 − Tc).

En 1992, la valeur de la compagnie Meubles inc., selon la **méthode de la capitalisation des bénéfices** est alors déterminée en substituant les montants qui viennent d'être calculés dans l'expression (7). On obtient :

Valeur de la compagnie Meubles inc. = **2 719 610 $**

5. La méthode du BAII

La méthode du bénéfice avant intérêts et impôts (BAII) est due à deux économistes bien connus en finance moderne, Modigliani et Miller. Selon cette méthode, la valeur d'une entreprise est la somme, d'une part, de la valeur actualisée à perpétuité de l'espérance mathématique de son **bénéfice net et**, d'autre part, de la valeur actualisée, aussi à perpétuité, de ses **économies d'impôts**. L'expression de la valeur d'une entreprise selon Modigliani-Miller est la suivante :

$$\text{Valeur d'une entreprise} = \frac{E\,(\text{BAII}) \times (1 - \text{Tc})}{\text{CFSL}} + (\text{dette} \times \text{Tc}) \qquad (8)$$

Dans cette expression, BAII désigne le bénéfice annuel de l'entreprise avant intérêts et impôts ; Tc, son taux d'imposition et CFSL, son coût de financement sans levier.

L'expression (8) revient à dire que la valeur d'une entreprise est égale à la somme de la valeur actualisée à perpétuité de son BAII annuel après impôts et de la valeur actualisée à perpétuité de ses économies d'impôts. Autrement dit, la valeur d'une entreprise est égale à la valeur d'une entreprise non endettée, soit le premier terme de l'expression (8), à laquelle s'ajoute la valeur actualisée des économies d'impôts dues à la dette, les intérêts payés sur la dette étant déductibles d'impôts.

Le premier terme de l'expression (8) représente la valeur d'une entreprise non endettée. On actualise évidemment l'espérance mathématique de son BAII à perpétuité au taux d'actualisation d'une entreprise qui n'aurait pas de levier*. Comment le taux d'actualisation d'une entreprise qui n'a pas de levier se compare-t-il à celui d'une firme qui a un levier, c'est-à-dire qui se finance par dette ?

On veut ici comparer le **risque des propriétaires** (ou des actionnaires si l'entreprise a émis des actions) d'une entreprise avec levier et sans levier. Le risque supporté par les propriétaires d'une entreprise avec levier est évidemment plus élevé que celui des propriétaires d'une entreprise sans levier. En effet, le levier financier augmente la **variance du bénéfice**. En finance

---

* L'amortissement n'apparaît pas comme *cash flow* dans cette expression car la firme est censée débourser chaque année un montant d'argent égal à l'amortissement de façon à rénover ses immobilisations. L'avantage fiscal procuré par l'amortissement est alors supprimé.

moderne, comme cela fut expliqué auparavant, on mesure le risque par le bêta. La relation entre le bêta d'une entreprise avec levier (β1) et d'une firme sans levier (βs1) est la suivante :

$$\beta l = \beta sl \times [1 + (1 - Tc)\ \text{Dette/Avoir}] \qquad (9)$$

On voit que le bêta d'une entreprise avec levier (β1) – son risque – est d'autant plus élevé que son levier – le ratio de sa dette à l'avoir – est important. Par contre, plus le taux d'imposition est élevé, plus le risque d'une entreprise avec levier diminue : plus l'entreprise est imposée, plus elle jouit d'économies d'impôts et plus le risque est faible.

On veut calculer le bêta de la compagnie Meubles inc. sans levier (βs1). On connaît déjà le bêta avec levier de cette entreprise, soit 1. Ce bêta correspond à un ratio de la dette à l'avoir de 1,2. Le taux de taxation de la compagnie Meubles inc. est de 24 %. L'expression (9) permet alors de calculer le bêta de la compagnie Meubles inc. sans levier (βs1), soit 0,52.

On peut alors se servir de la formule du CAPM (1) donnée antérieurement pour calculer le taux d'actualisation, ou coût moyen du capital, de la compagnie Meubles inc. sans levier. Ce taux d'actualisation est égal à l'expression suivante :

rs1 = rf + [βs1 $\times$ prime de risque du marché]

   = 0,08 + [0,52 $\times$ 0,07]

   = 0,116 ou 11,6 %

C'est donc à ce taux qu'il faut actualiser l'espérance mathématique du BAII après impôts de la compagnie Meubles inc. afin de déterminer sa valeur sans levier, soit le premier terme de l'expression (8).

L'espérance mathématique du BAII a été calculée dans la section précédente. Elle s'établit à

357 844 $. Après impôts, ce montant se chiffre à 271 961 $. L'actualisation de cette perpétuité au taux de 11,6 % donne un montant de 2 344 491 $. **C'est la valeur de la compagnie Meubles inc. sans dette et sans impôts**.

L'expression (8) indique qu'il faut ajouter à cette valeur **les économies d'impôts découlant de la dette** de la compagnie Meubles inc. Nous supposons ici que la compagnie Meubles inc. maintiendra une dette d'un million de dollars* au cours des prochaines années.

Les économies annuelles d'impôts de la compagnie Meubles inc. égalent le montant suivant, en se rappelant que le coût de sa dette est de 12 % :

$$= 1\ 000\ 000\ \$ \times 0,12 \times (0,24)$$

Dans cette expression, 1 000 000 $ est la dette de la compagnie Meubles inc. en 1992, 0,12 ou 12 % est son coût de financement par dette et 0,24 ou 24 % est son taux de taxation. On suppose que ces économies d'impôts se reproduiront à perpétuité. Pour calculer la valeur actualisée de cette perpétuité, il suffit de diviser cette expression par 0,12 ou 12 %, soit le coût de financement par la dette. La valeur actualisée des **économies d'impôts** de la compagnie Meubles inc. se chiffre donc à 240 000 $.

Selon la **méthode du bénéfice avant intérêts et impôts**, la valeur de la compagnie Meubles inc. est égale à la somme de sa valeur sans levier, soit 2 344 491 $ et de la valeur actualisée de ses économies d'impôts dues à son endettement, soit 240 000 $. En 1992, la valeur au marché de la compagnie Meubles inc. s'établit donc à **2 584 491 $**.

---

* Soit grosso modo le montant de sa dette en 1992.

Tableau II

SYNTHÈSE DES MÉTHODES	
MÉTHODES	**VALEUR DE L'ENTREPRISE**
Valeur aux livres	1 826 848 $
Valeur aux livres redressée	2 142 563 $
Actualisation des *cash flow*	3 275 701 $
Capitalisation du bénéfice	2 719 610 $
Méthode du BAII	2 584 491 $
Moyenne	**2 680 591 $**

Pour calculer la moyenne des évaluations, on a fait abstraction de la valeur aux livres, cela pour des motifs évidents.

Synthèse des résultats

Le Tableau II résume les calculs que nous venons d'effectuer.

Les méthodes de la capitalisation du bénéfice et du BAII donnent des résultats relativement similaires. La méthode de l'actualisation des *cash flow* donne un résultat supérieur. Sur la base des calculs précédents, il appert que la **valeur minimale** de la compagnie Meubles inc. se chiffrerait environ à **2 150 000 $** et sa **valeur maximale**, environ à **3 300 000 $**. Toutes les méthodes d'analyse fournissent des valeurs supérieures à celle de la valeur aux livres.

Ces montants représentent la **valeur marchande de l'actif** de la compagnie Meubles inc. selon les méthodes expliquées et **ne correspondent pas au prix à**

payer pour l'entreprise si l'acheteur assume les dettes existantes. Dans un tel cas, la valeur nette des actifs de la compagnie Meubles inc. – le prix à payer pour l'entreprise selon chaque méthode – est établie en retranchant des montants obtenus, le montant des dettes existantes, soit environ 1 000 000 $ en 1992. On le voit bien, les écarts entre les valeurs nettes laissent place à interprétation.

Conclusion

Comme ce texte l'a démontré, l'établissement de la valeur marchande d'une entreprise ne va pas sans problème. Pour tout financier, il est bien connu que la valeur d'un actif est la valeur actualisée des *cash flow* que cet actif promet de payer sur sa durée de vie, leur taux d'actualisation étant le taux de rendement exigé par les détenteurs de cet actif. Ce taux d'actualisation dépend du risque de l'actif, son bêta.

Lorsque l'entrepreneur envisage d'**acheter** une entreprise, établir sa valeur marchande est le premier pas. Il faudra aussi évaluer les **interfaces d'affaires, financière et organisationnelle**. Quelle sera la synergie ? Quels seront les avantages d'affaires ? L'entreprise a-t-elle les *cash flow* nécessaires ? Dispose-t-elle des ressources humaines compétentes pour effectuer l'intégration et la gestion ?

D'autres facteurs devront aussi être analysés : les tendances économiques, l'évolution du secteur d'affaires, la qualité de la gestion, les garanties du vendeur, les conditions de vente, la nature du financement, etc. Plan stratégique de croissance et prévisions financières sont ici essentiels : rappelons que près des deux tiers des acquisitions ou fusions ne répondent pas aux attentes. Finalement, il y aura la négociation de l'entente et la vérification financière et de la gestion de l'entreprise.

Par ailleurs, lorsque l'entrepreneur considère de laisser (gel successoral) son entreprise à ses héritiers, les impôts sur le gain en capital sont calculés à partir de la **juste valeur marchande** de l'entreprise. Bien qu'il y ait place à interprétation nous l'avons dit, tout jugement porté devra être **argumenté**. Nous le répétons, il importe de consulter son conseiller en gestion et ses experts externes, d'obtenir leurs avis et d'agir en conséquence.

BIBLIOGRAPHIE

Aronoff, C. E. et autres, *Family Business Sourcebook*, Omnigraphics Inc., 1991.

Banque fédérale de développement, Société de développement industrielle du Québec et Université du Québec à Montréal, *Le comité conseil*, Publications préface inc., 1988.

Barnes, L.B., « Incongruent Hierarchies : Daughters and Younger Sons as Company CEOs », *Family Business Review*, printemps 1988.

Beckhard, R. et Dyer, W. G., « Managing Change in the Family Firm – Issues and Strategies », *Sloan Management Review*, 1983a.

Beckhard, R. et Dyer, W. G., « Managing Continuity in the Family – Owned Business », *Organizational Dynamics*, 1983b.

Benson, B., *Your Family Business*, Richard D. Irwin, 1990.

Bérard, D., « Entrepreneurship féminin : à la croisée des chemins », Magazine *PME*, novembre 1991.

Birley, S., « Succession in the Family Firm : The Inheritor's View », Journal of Small Business Management, juillet 1986.

Blake, R. R. et Mouton, J. S., *Les Deux Dimensions du management*, Les Éditions d'Organisation, 1985.

Block, S. B., « Buy-Sell Agreements for Privately Held Corporations », *Journal of Accountancy*, septembre 1985.

Bove, A. A. Jr., « The Choice of an Executor Depends on Many Factors », *The Boston Globe*, juin 1989.

Bowman-Upton, N., « Allocution », *Conférence annuelle sur l'entreprise familiale*, Université Baylor, 1989.

Bureau international du travail, *Le conseil en management : guide pour la profession*, Organisation internationale du travail, 1978.

Cardinal, L. et Lamoureux, C., « Le Plateau de carrière chez les gestionnaires : diagnostic et intervention », *Revue Internationale de Gestion*, septembre 1992.

Case, J., « The Real Age Wave », *Inc.*, juillet 1989.

Castro, J., « She Calls All the Shots », *Time*, juillet 1988.

Chaput, Jean-Marc, *À la recherche de l'humain*, Publications Transcontinental, 1992.

Cohn, M., *Passing the Torch*, Liberty Hall Press, 1990.

Coutu, F.-J., « Allocution », *Colloque AIESEC/UQAM sur l'entreprise familiale*, avril 1991.

Coutu, J., « Allocution », *Colloque AIESEC/UQAM sur l'entreprise familiale*, avril 1991.

Daily, C. M. et Dollinger, M. J., « An Empirical Examination of Ownership Structure in Family and Professionnally Managed Firms », *Family Business Review*, été 1992.

Davis, J., « Allocution », *Conférence annuelle du Family Firm Institute*, octobre 1991.

Davis, J. A. et Tagiuri, R., « The Influence of Life Stage on Father-Son Work Relationships in Family Companies », *Family Business Review*, printemps 1989.

Davis, J. A. et Tagiuri, R., « Bivalent Attributes of the Family Firm (1982) », *Family Business Sourcebook*, 1991.

De Gaspé Beaubien, P. et Nan-b., « Allocution », *Conférence annuelle du Family Firm Institute*, octobre 1991.

Desbiens, D., « La présence cachée des valeurs dans la vie organisationnelle », *Avenir*, décembre-janvier 1990.

Deutschman, A. « The UpBeat Generation », *Fortune*, juillet 1992.

Dumaine, B., « Those High-Flying PepsiCo Managers », *Fortune*, avril 1989.

Dumas, C. « Understanding of Father-Daughter and Father-Son Dyads in Family-Owned Business », *Family Business Review*, printemps 1989.

284

Dyer, G., *Cultural Exchanges in Family Firms*, Jossey-Bass, San Francisco, 1986.

Dyer, H. W. Jr., « Culture and Continuity in Family Firms », *Family Business Review*, printemps 1988.

Ehrlich, E., « The Mommy Track », *Business Week*, mars 1989.

Faber, A. et Mazlish, E., *Siblings without Rivalry*, W. W. Norton, New York, 1987.

Feurstein, P., « Brothers as Business Partners », *Talking to the Boss*, mars 1989.

Friedrich, O., « Flash Symbol of an Acquisitive Age », *Time*, janvier 1989.

Garfield, C., *Peak Performers*, William Morrow, New York, 1986.

Garrett, E. M. et Williams, W. E., « Choose Me », *Venture*, mai 1988.

Gasse, Yvon et autres, « La continuité dans la PME familiale », *Revue Internationale PME*, septembre 1988.

Gendron, G. et Solomon, S. D., « The Art of Loving », *Inc.*, mai 1989.

Gilman, H., « The Last Generation », *The Wall Street Journal*, mai 1985.

Gubernick, L. et King, R. Jr., « The Ultimate Family Feud », *Forbes*, juin 1987.

Gumpert, D. E. et Boyd, D., « The Loneliness of the Small Business Owner », *Harvard Business Review*, novembre-décembre 1984.

Guzzardi, W., « U.S. Business Hall of Fame », *Fortune*, mars 1989.

Handler, W. C. et Kram, K. E., « Succession in Family Firms : The Problem of Resistance », *Family Business Review*, 1988.

Harrington, H. J., *Objectif qualité totale*, traduit de l'américain par C. Combet et T. Le Chevalier, Publications Transcontinental et Publi-Relais, 1991.

Hartman, C., « Why Daughters Are Better », *Inc.*, août 1987.

285

Heidrick, G. W., « Selecting Outside Directors », *Family Business Review*, automne 1988.

Heinrich, J., « Keeping Telemedia in the Family », *The Gazette*, 28 octobre 1991.

Hollander, B. S., « The Loan Officer's Perspective in Family Firms », *Family Business Review*, été 1989.

Hugron, P., *L'entreprise familiale : modèle de réussite du processus successoral*, L'Institut de recherches politiques et Les Presses HEC, 1992.

Hyatt, J., « Splitting Heirs », *Inc.*, mars 1988.

Joffe, D. T., *Working with the Ones You Love*, Conari Press, Berkeley, 1991.

Kennedey, A., « Coming of Age », *Inc.*, avril 1989.

Kirkland, R. I., « Should You Leave It All to the Children ? » *Fortune*, septembre 1986.

Labich, K., « Hot Company, Warm Culture », *Fortune*, février 1989.

Lafrance et autres, *Les secrets de la croissance : 4 défis pour l'entrepreneur*, Publications Transcontinental et Fondation de l'Entrepreneurship, 1992.

Landsberg, I. S., « The Succession Conspiracy », *Family Business Review*, été 1988.

Landsberg, I. S., « Managing Human Resources in Family Firms : the Problem of Institutional Overlap », *Organizational Dynamics*, été 1983.

Lane, S. H., « Owner-Managed and Family Businesses : Special Considerations for the Loan Officer », *The Journal of Commercial Banking*, 1983.

Légaré, M., « Allocution », *Colloque AIESEC/UQAM sur l'entreprise familiale*, avril 1991.

Leman, K., *The Birth Order Book*, Dell Publishing Co., 1985.

Leonard, B., « Heir Raising », *Forbes*, septembre 1987.

Levasseur et autres, *Autodiagnostic : l'outil de vérification de votre gestion*, Publications Transcontinental et Fondation de l'Entrepreneurship, 1991.

Mackiewicz, A.G., « Watch Your Language », *Family Business*, automne 1992.

Malone, S. C. et Jenster, P. V., « The Problem of the Plateaued Owner-Manager », *Family Business Review*, printemps 1992.

Mathilde, C. L., « A Business Owner's Perspective on Outside Boards », *Family Business Review*, automne 1988.

Michel, D., « L'entreprise familiale en crise. Les tribunaux croulent sous les dossiers. Comment réconcilier la famille et l'entreprise », *L'Entreprise*, mars 1990.

Michel, D., « Travailler avec son frère », *L'Entreprise*, octobre-novembre 1990.

Michel, D. E. et Michel, M., *Gérer l'entreprise familiale : objectif longue durée*, Les Éditions d'Organisation, 1987.

Morikawa, H., *Zaibatsu : The Rise and Fall of Family Enterprise Groups in Japan*, University of Tokyo Press, 1992.

Morin, E., « Allocution », *Colloque AIESEC/UQAM sur l'entreprise familiale*, avril 1991.

Mueller, R. K., « Differential Directorship : Special Sensibilities and Roles for Serving the Family Business Board », *Family Business Review*, automne 1988.

Nelton, S., « Cultural Changes in a Family Firm », *Nation's Business*, janvier 1989.

Nelton, S., « When Widows Take Charge », *Nation's Business*, décembre 1988.

Nelton, S., *In Love and in Business*, John Wiley & Sons, New York, 1986.

Nelton, S., « Bringing an Outside Board Aboard », *Nation's Business*, mai 1985.

Perreault, Yvon G., « Le défi de la relève », *Magazine PME*, décembre-janvier 1992.

Perreault, Yvon G., *Êtes-vous d'affaires ?*, Les éditions G. Vermette, 1990.

Perreault, Yvon G., « Souffrez-vous de l'effet plateau ? », *Magazine PME*, décembre-janvier 1993.

Peter, T. J. et Waterman R. H., *In Search of Excellence*, Harper & Row, New York, 1982.

Poe, R., « The SOB's », *Across the Board*, mai 1980.

Povejsil, D., « Coming of Age », *Inc.*, avril 1989.

Quinn, J. B., *Strategies for Change : Logical Incremantalism*, Richard D. Irwin, 1980.

Rédaction, « Les profits entretiennent l'affection », *L'Expansion*, septembre-octobre 1990.

Rédaction, « Une dimension clandestine : sa culture », *Revue Desjardins*, octobre 1987.

Rédaction, « De génération en génération, les DeSerres se transmettent le gêne de l'entrepreneuriat », *Les Affaires*, octobre 1992.

Rosenblatt, P. C. et autres, *The Family in Business*, Jossey-Bass, San Francisco, 1985.

Rothstein, J., « Don't Judge a Book by Its Cover : A Reconsideration of Eight Assumptions About Jewish Family Businesses », *Family Business Review*, hiver 1992.

Singer, J. et Donoho, C., « Strategic Management Planning for the Successful Family Business », *Journal of Business & Entrepreneurship*, 1992.

Sonnenfeld, J., *The Hero's Farewell : What Happens When CEOs Retire*, Oxford University Press, New York, 1988.

Stinnett, N. et DeFrain, J., *Secrets of Strong Families*, Little, Brown, Boston, 1986.

Tagiuri, R. et Davis, J. A. « On the Goal of Succesful Family Companies », *Family Business Review*, printemps, 1992.

Tellier, Y. et Tessier, R., *Changement planifié et évolution spontanée*, Presses de l'Université du Québec, 1991.

Tillmad, F. A., « Commentary on Legal Liability », *Family Business Review*, automne 1988.

Toy, S., « The New Nepotism : Why Dynasties Are Making a Comeback », *Business Week*, avril 1988.

Van Coillie-Tremblay, Brigitte et Fragu, Marie-Jeanne, *Relancer son entreprise : changer sans tout casser*,

Publications Transcontinental et Fondation de l'Entrepreneurship, 1991.

Ward, J., *Keeping the Family Business Healthy*, Jossey-Bass, San Francisco, 1987.

Ward, K., *Lettre d'un homme d'affaires à son fils*, Les éditions Un monde différent ltée, 1992.

Ward, J. L. et Handy, J. L., « A Survey of Board Practices », *Family Business Review*, automne 1988.

Weiser, J., Brody, F. et Quarrey, M., « Family Businesses and Employee Ownership », *Family Business Review*, printemps 1988.

Whisler, T. L., *Rules of the Game*, Dow Jones-Irwin, 1984.

White, J., *La montée du capitalisme féminin : les femmes comme chefs d'entreprise*, Laventhol & Horwarth, Toronto, 1984.

Wojahn, E., « Share the Wealth, Spoil the Child ? » *Inc.*, août 1989.

Wong, B., McReynolds, B. S. et Wong, W., « Chinese Family Firms in the San Francisco Bay Area », *Family Business Review*, hiver 1992.

COLLECTION
ENTREPRENDRE

Profession : entrepreneur
Avez-vous le profil de l'emploi?   **19,95 $**
Yvon Gasse et Aline D'Amours   140 pages, 1993

Entrepreneurship et développement local
Quand la population se prend en main   **24,95 $**
Paul Prévost   200 pages, 1993

L'entreprise familiale (2ᵉ édition)
La relève, ça se prépare!   **24,95 $**
Yvon G. Perreault   292 pages, 1993

Le crédit en entreprise
Pour une gestion efficace et dynamique   **19,95 $**
Pierre A. Douville   140 pages, 1993

Entrepreneurship technologique
21 cas de PME à succès   **29,95 $**
Roger A. Blais et Jean-Marie Toulouse   416 pages, 1992

Devenez entrepreneur
Pour un Québec plus entrepreneurial   **27,95 $**
Paul-A. Fortin   360 pages, 1992

La passion du client
Viser l'excellence du service   **19,95 $**
Yvan Dubuc   210 pages, 1993

Comment trouver son idée d'entreprise (2ᵉ édition)
Découvrez les bons filons   **19,95 $**
Sylvie Laferté   160 pages, 1993

Correspondance d'affaires
Règles d'usage françaises et anglaises
et 85 lettres modèles   **24,95 $**
Brigitte Van Coillie-Tremblay, Micheline Bartlett   268 pages, 1991
et Diane Forgues-Michaud

Autodiagnostic
L'outil de vérification de votre gestion   **16,95 $**
Pierre Levasseur, Corinne Bruley et Jean Picard   146 pages, 1991

Relancer son entreprise
Changer sans tout casser   **24,95 $**
Brigitte Van Coillie-Tremblay et Marie-Jeanne Fragu   162 pages, 1991

Les secrets de la croissance
4 défis pour l'entrepreneur   **19,95 $**
sous la direction de Marcel Lafrance   272 pages, 1991

MARQUIS
Montmagny, Qc
février 1994